To Monique & klaus,
their Belgian friend,

Jean-Claude.

Octavio Paz

Une planète et quatre ou cinq mondes

Réflexions sur l'histoire contemporaine

*Traduit de l'espagnol
par Jean-Claude Masson*

Gallimard

AVERTISSEMENT

Ce n'est pas sans beaucoup d'hésitations que je me suis décidé à recueillir ici une série d'articles sur le passé récent publiés dans divers journaux espagnols, brésiliens et hispano-américains au début de l'année 1980. J'ai supprimé de nombreuses pages, les unes parce qu'elles étaient trop circonstancielles, d'autres parce que des événements ultérieurs les avaient privées de leur raison d'être. De la même façon, j'ai modifié, rectifié et, parfois, amplifié certains passages. Malgré toutes ces retouches et mises au point, je ne me dissimule pas les défauts et les limites de ce travail. Je ne suis pas historien. Ma passion est la poésie et mon intérêt la littérature ; ni l'une ni l'autre ne m'autorisent à donner mon avis sur les convulsions et les agitations de notre époque. Certes, je ne suis pas indifférent à ce qui se passe — qui pourrait l'être ? — et j'écris depuis longtemps des articles et des essais concernant l'actualité, mais toujours d'un point de vue dont je ne sais s'il faut l'appeler excentrique ou simplement marginal. En tout cas, ce n'est jamais sur base des certitudes d'une idéologie aux prétentions encyclopédiques comme le marxisme ni sur celle des vérités immuables de religions comme le christianisme ou l'islam. Et pas davantage à partir du centre, réel ou supposé, de l'histoire : New York, Pékin ou Moscou. J'ignore si ces commentaires contiennent des interprétations pertinentes ou des hypothèses raisonnables ; je sais qu'ils expriment les réactions et les sentiments d'un écrivain indépendant d'Amérique latine devant le monde moderne. Ceci n'est pas une théorie, mais un témoignage.

A la façon des anciens Mayas, qui utilisaient deux manières de mesurer le temps, le « compte court » et le « compte long », les historiens français ont établi une distinction, dans l'analyse des processus historiques, entre la « longue durée » et la « courte durée ». La première désigne les grands rythmes qui, à travers des modifications d'abord imperceptibles, altèrent les vieilles structures, en créent de nouvelles et mènent ainsi à leur terme des transformations sociales lentes, mais irréversibles. Exemples : les croissances et les baisses de population, jamais entièrement expliquées ; l'évolution des sciences et des techniques ; la découverte de nouvelles ressources naturelles ou leur épuisement progressif ; l'érosion des institutions sociales ; les transformations dans les mentalités et les sentiments... La « courte durée », par contre, est le domaine de l'événement par excellence : empires qui s'écroulent, Etats qui naissent, révolutions, guerres, présidents qui abdiquent, dictateurs assassinés, prophètes crucifiés, bigots qui crucifient, etc. On compare fréquemment l'histoire à un ouvrage tissé par de nombreuses mains qui, sans se concerter ni savoir exactement ce qu'elles font, mêlent des fils de toutes les couleurs jusqu'à ce que la toile révèle une succession de figures à la fois familières et énigmatiques. Du point de vue de la « courte durée », les figures ne se répètent pas : l'histoire est création incessante, nouveauté, le royaume de l'unique et du singulier. Mais du point de vue de la « longue durée », on perçoit des répétitions, des ruptures, des recommencements ; bref, des rythmes. Les deux visions sont justes.

La majorité des changements que nous avons connus relèvent, bien sûr, de la « courte durée », mais les plus significatifs sont en relation directe ou indirecte avec la

« longue ». Ces dix dernières années, les rythmes historiques, à l'œuvre depuis plus de deux siècles, sont enfin
apparus sur la toile. Ils sont presque tous terrifiants :
l'accroissement de la population dans les pays « sous-
développés » ; la diminution des sources d'énergie ; la
contamination de l'atmosphère, des mers et des fleuves ;
les maladies chroniques de l'économie mondiale, qui va
de l'inflation à la dépression de manière cyclique ;
l'expansion et la multiplication des orthodoxies idéologiques, chacune armée de prétentions universalistes ;
enfin, la plaie de nos sociétés : la terreur de l'Etat et son
contrepoint, celle des bandes fanatiques. La « longue
durée » nous donne la sensation de nous trouver devant
un paysage historique, je veux dire devant une histoire
qui semble immobile comme la nature. Impression
trompeuse : la nature aussi bouge et change. Les changements de la « courte durée » s'inscrivent sur ce fond
apparemment immobile comme les phénomènes qui
altèrent la physionomie d'un lieu : passage de la lumière
et de l'obscurité, de midi et du crépuscule, de la pluie et
de la tourmente, du vent qui chasse les nuages et soulève
des tempêtes.

Ce livre comporte huit chapitres. Dans les cinq premiers, je me penche successivement sur les changements dans l'opinion et l'état d'esprit des nations du
Vieux Monde ; sur la crise de la démocratie impériale
des Etats-Unis et sa contrepartie, celle du système russe
de domination bureaucratique ; sur la révolte des particularismes, surtout dans les pays de la périphérie ; sur la
modernisation, ses dangers et les difficultés qu'elle ren-
contre. Dans ces cinq chapitres, j'ai réduit au minimum
les allusions à la situation en Amérique latine car
j'aborde ce thème, avec plus d'ampleur, dans les trois
derniers textes.

O.P.

Mexico, mars 1983.

Première partie

UNE PLANÈTE
ET QUATRE OU CINQ MONDES

CHAPITRE I

Coup d'œil sur le Vieux Monde

De la critique au terrorisme

C'est vers 1960 que commença une série de bouleversements qui firent trembler l'Occident. Contrairement aux prédictions du marxisme, la crise ne fut pas économique et son protagoniste ne fut pas le protélariat. Ce fut une crise politique et, plus encore, morale et spirituelle ; les acteurs n'en furent pas les ouvriers, mais un groupe privilégié : les étudiants. Aux Etats-Unis, la rébellion des jeunes contribua, de façon décisive, à discréditer la politique nord-américaine en Indochine ; en Europe occidentale, elle ne renversa pas le pouvoir des gouvernements ni les institutions, mais elle affaiblit leur crédibilité et leur prestige. Le mouvement des jeunes ne fut pas une révolution, au sens propre du terme, bien qu'il se fût approprié le langage révolutionnaire. Ce ne fut pas davantage une révolte, mais une rébellion, dans le sens que j'ai donné à ce mot dans d'autres écrits[1]. Ce fut la rébellion d'une fraction de la classe moyenne et une véritable « révolution culturelle », au sens où ne le fut *pas* celle qui eut lieu en Chine. L'extraordinaire liberté de mœurs en Occident, surtout dans le domaine érotique, est une des conséquences de l'insurrection morale des jeunes dans les années soixante. Une autre

1. Cf. *Courant alternatif* (Gallimard, 1972).

conséquence a été l'usure progressive de la notion d'autorité, qu'elle soit gouvernementale ou paternelle. Les générations antérieures avaient connu le culte du père terrible, adoré et redouté : Staline, Hitler, Churchill, de Gaulle. A partir des années soixante, une figure ambiguë, tour à tour colérique et orgiastique, celle des Enfants, a destitué l'image du Père saturnien. Nous sommes passés de la glorification du vieillard solitaire à l'exaltation de la tribu juvénile.

Bien que les désordres universitaires aient ébranlé l'Occident, ni l'Union soviétique ni les partis communistes ne les ont utilisés ou ne sont parvenus à les canaliser. Au contraire : ils les ont dénoncés comme des mouvements petits-bourgeois, anarchiques, décadents et manipulés par des agents provocateurs de la droite. On comprend l'hostilité de la hiérarchie soviétique : la rébellion des jeunes n'était pas seulement une explosion contre la société de consommation capitaliste, mais un mouvement libertaire, une critique passionnelle et totale de l'Etat et de l'autorité.

La décennie suivante fut celle de l'apparition et de la reconnaissance, en Occident, des dissidents russes et des autres pays « socialistes ». Ce fait a profondément marqué la conscience intellectuelle contemporaine ; ses conséquences morales et politiques se feront sentir de plus en plus, non seulement en Europe, mais en Amérique latine. Pour la première fois, les dissidents de l'Empire russe ont réussi à se faire entendre des intellectuels européens. Jusqu'à il y a peu, seuls quelques groupes marginaux — anarchistes, surréalistes, anciens marxistes et militants communistes enfin défroqués — avaient osé décrire le socialisme bureaucratique tel qu'il est réellement : un nouveau système d'exploitation et de répression, impitoyable et généralisé. Aujourd'hui, plus personne ne se risque à défendre comme avant le « real-socialisme », pas même les membres de cette espèce que nous appelons « intellectuels progressistes ». Face aux

14

révélations des dissidents, les critiques de Gide en 1936 et les observations plus pénétrantes de Camus en 1951 sont en réalité bien timides, les analyses de Trotsky insuffisantes, faibles les descriptions de Souvarine lui-même, bien qu'il fût le premier à comprendre, voici déjà quarante ans, le véritable caractère du régime russe.

J'ouvre ici une parenthèse pour souligner un contraste remarquable et sur lequel, que je sache, on ne s'est guère penché : pendant les années soixante-dix, il n'y a pas eu en Occident un mouvement d'autocritique morale et politique comparable à celui des dissidents des pays « socialistes ». Voilà qui est étrange car, depuis le XVIe siècle, la critique a accompagné les Européens dans toutes leurs entreprises et aventures, parfois sous forme de confession, d'autres fois sous forme de remords. L'histoire de l'Occident moderne commence avec l'expansion de l'Espagne et du Portugal en Afrique, en Asie et en Amérique ; en même temps, on voit surgir les dénonciations des horreurs de la conquête et on écrit des descriptions, souvent émerveillées, des sociétés indigènes. D'un côté Pizarre ; de l'autre, Las Casas et Sahagún. Parfois, le conquérant lui-même est, à sa façon, un ethnologue : c'est le cas de Cortés. Les remords de l'Occident, comme le signale Lévi-Strauss, s'appellent *anthropologie*, une science qui est née en même temps que l'impérialisme européen et qui lui a survécu.

Dans la première moitié du XXe siècle, la critique de l'Occident fut l'œuvre de ses poètes, romanciers et philosophes. Une critique singulièrement violente et lucide. La rébellion des jeunes dans les années soixante a recueilli ces thèmes et les a vécus comme une protestation passionnée. Ce mouvement, admirable par bien des idées, a oscillé entre la religion et la révolution, entre l'érotisme et l'utopie. Et soudain, aussi rapidement qu'il avait surgi, il s'est évanoui. La rébellion des jeunes est née quand personne ne l'attendait et a disparu de la même façon. Voilà un phénomène que nos sociologues

15

n'ont pas encore été capables d'expliquer. Négation passionnée des valeurs régnantes en Occident, la révolution culturelle des années soixante fut un fruit de la critique, mais non un mouvement critique au sens strict. Je veux dire que dans les protestations, les déclarations et les manifestes des rebelles, il n'y a pas d'idées ou de concepts qui ne se trouvent déjà chez les philosophes et les poètes des générations directement antérieures. La nouveauté de la rébellion ne fut pas intellectuelle, mais morale ; les jeunes n'ont pas découvert d'autres idées : ils ont vécu avec passion celles dont ils avaient hérité. Dans les années soixante-dix, la rébellion s'est éteinte et la critique s'est tue. La seule exception a été le féminisme. Mais ce mouvement a commencé bien avant et se prolongera encore pendant plusieurs décennies. C'est un processus qui relève du « compte long ». Bien que son élan ait décru ces dernières années, ce phénomène est destiné à durer et à changer l'histoire.

Les héritiers des jeunes rebelles ont été les bandes terroristes. L'Occident a cessé d'avoir des critiques et des dissidents ; les minorités opposantes sont passées à l'action clandestine. Inversion du bolchevisme : incapables de prendre possession de l'Etat et d'établir la terreur idéologique, les activistes se sont installés dans l'idéologie de la terreur. Et à mesure que les groupes terroristes deviennent plus intransigeants et plus audacieux, les gouvernements occidentaux se montrent plus indécis et plus hésitants. Les gouvernements ne peuvent-ils donc opposer au fanatisme des terroristes que leur scepticisme ? C'est Hobbes qui a donné la justification la plus franche de la nécessité de l'Etat : « attendu que la condition humaine est celle de la guerre de tous contre tous », les hommes n'ont pas d'autre remède que de céder une partie de leur liberté à une autorité souveraine qui soit capable d'assurer la paix et la tranquillité de tous et de chacun. Cependant, le même Hobbes admettait que « la condition de sujet est misérable ».

Grande contradiction : l'érosion de l'autorité gouvernementale dans les pays occidentaux devrait réjouir les
amoureux de la liberté, puisque l'idéal de la démocratie
peut se définir succinctement ainsi : un peuple fort et un
gouvernement faible. Mais la situation nous attriste car
les terroristes semblent s'acharner à donner raison à
Hobbes. D'une part, leurs méthodes sont condamnables ; de l'autre, leur idéal n'est pas la liberté, mais
l'instauration d'un despotisme sectaire.

Aussi nocive que soit l'action de ces groupes, le véritable mal des sociétés capitalistes libérales n'est pas en
eux, mais dans le nihilisme prédominant. C'est un nihilisme de signe opposé à celui de Nietzsche : nous ne
sommes pas devant une négation critique des valeurs
établies, mais devant leur dissolution dans une indifférence passive. Plutôt que de nihilisme, il faudrait parler
d'hédonisme. Le caractère du nihiliste est tragique ; celui de l'hédoniste, résigné. Cet hédonisme est également
très loin de celui d'Epicure : il n'ose pas regarder la mort
en face ; ce n'est pas une sagesse, mais une démission. A
l'un de ses extrêmes, il s'agit d'une sorte de gloutonne-
rie, une demande insatiable pour avoir plus, toujours
plus ; à l'autre, c'est un mélange de laisser-aller, d'abdi-
cation, de lâcheté face à la souffrance et à la mort. En
dépit du culte du sport et de la santé, l'attitude des
peuples occidentaux trahit une diminution de la tension
vitale. On vit maintenant de longues années, mais ce
sont des années creuses, vides. Notre hédonisme est un
hédonisme pour robots et spectres. L'identification du
corps avec un mécanisme conduit à la mécanisation du
plaisir ; à son tour, le culte de l'image — cinéma, télévision, affiches — provoque une sorte de *voyeurisme*[1]
généralisé qui transforme les corps en ombres. Notre
matérialisme n'est pas charnel : c'est une abstraction.
Notre pornographie est visuelle et mentale ; elle voisine,

1. En français dans le texte. *(N.d.T.)*

à l'un de ses pôles, avec la masturbation et, à l'autre, avec le sadomasochisme. Elucubrations à la fois sanglantes et fantomatiques.

Le spectacle du monde occidental contemporain aurait fasciné aussi bien Machiavel que Diogène, quoique pour des raisons différentes. Les Nord-Américains, les Européens et les Japonais sont parvenus à vaincre la crise de l'après-guerre et ont créé la société la plus riche et la plus prospère de toute l'histoire des hommes. Jamais tant de gens n'avaient tant possédé. Une autre grande réussite : la tolérance. Une tolérance qui s'exerce non seulement face aux idées et aux opinions, mais en matière de goûts et de mœurs. Et pourtant, ces gains matériels et politiques ne s'accompagnent pas d'une plus grande sagesse ni d'une culture plus profonde. Le panorama spirituel de l'Occident est affligeant : vulgarité, frivolité, renaissance des superstitions, dégradation de l'érotisme, le plaisir au service du commerce et la liberté devenue l'entremetteuse des moyens de communication. Mais le terrorisme n'est pas une critique de cette situation : c'est l'un de ses symptômes. A l'activité somnambule de la société, tournant machinalement autour de la production incessante d'objets et de choses, le terrorisme oppose une frénésie non moins somnambule quoique plus destructive.

Il n'y a rien de hasardeux dans le fait que le terrorisme ait surtout prospéré en Allemagne, en Italie et en Espagne. Dans ces trois pays, le processus historique de la société moderne — le passage de l'Etat absolutiste à la démocratie — a été interrompu plus d'une fois par des régimes despotiques. Dans chacun de ces pays, la démocratie est une institution récente. L'Etat national — complément nécessaire à l'évolution des sociétés occidentales vers la démocratie — fut une réalité tardive en Allemagne et en Italie. Ce fut tout le contraire en Espagne, mais avec des résultats semblables : les différents peuples qui coexistent dans la péninsule Ibérique ont été

18

enfermés, depuis le XVIᵉ siècle, dans la camisole de force d'un Etat centraliste et autoritaire. Cela ne veut pas dire, bien sûr, que les Allemands, les Italiens et les Espagnols soient condamnés, par une sorte de faute historique, au terrorisme. A mesure que s'affirment la démocratie et le fédéralisme (et avec eux l'Etat national), le terrorisme ne pourra que décliner. En réalité, il a déjà disparu d'Allemagne. Il n'est pas aventuré de supposer qu'il diminuera également en Espagne. Ce ne sera pas la répression gouvernementale, mais l'établissement des libertés et des autonomies locales et régionales qui en finira avec le terrorisme basque. L'E.T.A. est condamnée à s'éteindre, non pas d'un seul coup, mais à travers un isolement progressif et inexorable. Comme ce mouvement a déjà cessé de représenter une aspiration populaire, la solitude le conduira à la pire des violences : le suicide politique. Le processus sera lent, mais irréversible.

L'activité des terroristes italiens a été, plus que tout, la conséquence de la crise de l'Etat, résultat de la double paralysie des deux grands partis, la démocratie chrétienne et les communistes. Le gouvernement tourne sur lui-même sans avancer parce que le parti au pouvoir, la démocratie chrétienne, n'a plus d'autre projet que de maintenir le *statu quo*. Il ne gouverne pas ou, plutôt, il a réduit l'art de gouverner à un jeu de mains : ce qui compte, c'est la subtilité, l'habileté au compromis. De son côté, le parti communiste ne sait quel chemin prendre. Il a renoncé au léninisme, mais n'ose pas embrasser pleinement le socialisme démocratique. Il oscille entre Lénine et Kautsky et n'a pas encore trouvé sa propre voie. La vie politique italienne est extrêmement agitée et, pourtant, il ne s'y passe rien. Tout le monde bouge et personne ne change de place. La colère froide et obtuse des terroristes et de leurs pédants professeurs n'est pas davantage une issue. C'est pourquoi ils ont échoué. Mais le problème de fond subsiste : l'Italie souffre de l'absence d'un socialisme démocratique. Bien que les communistes italiens — les plus souples et intelligents d'Europe — se soient proposés de combler ce vide, ils n'y sont pas arrivés pour des raisons de généalogie historique. Leur longue alliance avec le despotisme bureaucratique russe est une espèce de tache originelle que nul baptême démocratique n'a encore purifiée.

Et le cas de l'Irlande du Nord ? A mes yeux, il s'agit d'un phénomène très différent. Le terrorisme irlandais est né du mélange explosif de deux éléments : un nationalisme empreint de religiosité et l'injuste situation d'infériorité à laquelle est soumise la minorité catholique. L'histoire du XXe siècle a confirmé un fait que connaissaient tous les historiens du passé, mais que nos idéologues se sont obstinés à ignorer : les passions politiques les plus fortes, féroces et durables sont le nationalisme et la religion. Chez les Irlandais, l'union de la religion et du nationalisme est inextricable. Contrairement aux Basques, qui ne veulent s'unir avec personne si ce n'est avec eux-mêmes, les catholiques d'Irlande du Nord sont les parents proches de la République d'Irlande. Mais le nationalisme catholique irlandais est une chose et l'I.R.A. en est une autre. Deux circonstances jouent contre cette organisation : d'abord, la population catholique est minoritaire ; ensuite, les méthodes et le programme politique de l'I.R.A. (un « socialisme » à la mode arabe ou africaine) lui ont fait perdre beaucoup de partisans et d'amis, aussi bien en République d'Irlande qu'en Irlande du Nord.

L'assassinat de lord Mountbatten a été réprouvé par beaucoup de gens qui avaient sympathisé au début avec les terroristes. A mesure que l'I.R.A. se radicalise, elle s'isole. Or, le problème ne sera pas résolu par les armes, mais par une formule qui puisse satisfaire, en partie du moins, les aspirations de la minorité catholique. La situation présente plus d'un point commun avec celle des Palestiniens et des Israéliens : il s'agit de répondre aux aspirations contradictoires et exclusives, mais également légitimes, de deux communautés. Malheureusement, il n'y a pas de Salomon à l'horizon.

L'héritage jacobin et la démocratie

On trouve un phénomène de symétrie inverse dans l'évolution des grands partis communistes européens (en Italie, en France et en Espagne). Cette évolution s'est opérée dans un sens diamétralement opposé à celui des terroristes. Au fur et à mesure que la violence des groupes terroristes s'accentue, les communistes se rapprochent toujours plus des méthodes et des programmes des partis démocratiques traditionnels. Si le révisionniste Bernstein vivait encore, lui qu'on a tellement sali, il se frotterait les mains devant certaines déclarations de feu Berlinguer et de Carrillo. Certains critiques n'ont pas manqué de dénoncer la politique des eurocommunistes comme un leurre, une manœuvre du genre de celle du Front populaire ou de la « main tendue » à l'époque de Staline. Il ne fait aucun doute que, dans les positions de l'eurocommunisme, on trouve, comme dans tous les programmes et manifestes politiques, une bonne dose de tactique opportuniste. Mais il y a encore autre chose et dont la signification est plus importante. L'eurocommunisme a représenté, de la part des dirigeants, une tentative de répondre aux changements sociaux et historiques qui se sont opérés sur le continent durant les trente dernières années. C'est un moment qui s'inscrit dans un long processus tortueux de révision et de critique qui a commencé voici longtemps et n'est pas encore terminé.

Les origines de ce processus sont dans les disputes et les polémiques qui ont déchiré successivement la Iʳᵉ, la IIᵉ et la IIIᵉ Internationale. Ce qui se discute aujourd'hui a déjà été discuté, mais dans un autre langage et à partir d'autres perspectives, par Marx et Bakounine,

Martov et Lénine, c'est-à-dire par tous les protagonistes du mouvement ouvrier depuis plus d'un siècle. A l'époque contemporaine, le processus de révision et de critique fut déchaîné par le rapport de Khrouchtchev. Pendant de longues années, les dirigeants des partis communistes avaient occulté la réalité soviétique : la terreur institutionnelle, la servitude des ouvriers et des paysans, le régime des privilèges, les camps de concentration et, finalement, toutes ces pratiques que les communistes désignent pudiquement sous le nom de « violations de la légalité socialiste ». Par un mécanisme moral et psychologique qui n'a pas encore été décrit, Thorez, Togliatti, la Pasionaria et les autres ont non seulement accepté le mensonge, mais collaboré activement à sa diffusion. Et le plus terrible, c'est qu'ils sont parvenus à préserver le mythe de l'Union soviétique comme « patrie des travailleurs » aussi bien dans l'esprit des militants que chez des millions de sympathisants. Egalement scandaleux fut le spectacle de la foi inébranlable de tant d'« intellectuels progressistes », de ceux-là précisément dont l'unique profession de foi devrait être la critique, l'examen et le doute !

Mais, après le rapport de Khrouchtchev, il n'a plus été possible de cacher le soleil.

Au début, la critique fut plutôt d'ordre moral. Puis vint l'heure de la critique historique, politique et économique. Le travail de démolition d'un édifice de mensonges qui se sont accumulés pendant plus d'un demi-siècle n'est pas encore achevé. Comme toujours, ce furent les intellectuels — dont de nombreux communistes — qui commencèrent l'examen critique. Il est clair que sans cette action des intellectuels de gauche, l'évolution des partis communistes européens aurait été impossible. Aujourd'hui, grâce à eux, on ne peut plus répéter impunément les mensonges d'il y a dix ou quinze ans. (Cette attitude contraste fort avec celle de tant d'intellectuels latino-américains qui n'ouvrent la bouche que pour réciter les catéchismes rédigés à La Havane.) La critique des intellectuels européens fut efficace — contrairement à ce qui s'était passé auparavant avec celles de Serge, Cilinga, Souvarine, Breton, Camus, Silone, Howe et d'autres — car, presque en même temps, le monde découvrit l'existence d'un mouvement de dissidence en Union soviétique. Ce mouvement offre la particularité de ne pas se réduire à un seul courant : la pluralité de tendances et de philosophies dans la Russie prébolchevique réapparaît parmi les dissidents. L'élément le plus significatif est que les marxistes sont minoritaires au sein du mouvement.

Mais une autre série de circonstances ont accéléré l'évolution des partis communistes européens : l'occupation russe de la Tchécoslovaquie, l'invasion de l'Afghanistan et l'humiliation de la Pologne. Autant d'interventions que, après les événements sanglants de Hongrie, la gauche européenne pouvait difficilement supporter. Le conflit sino-soviétique a prouvé que l'« internationalisme prolétarien » n'est que le masque des agressions nationalistes ; l'invasion de la Tchécoslovaquie et la répression en Pologne confirment que les intérêts de l'Etat russe ne coïncident ni avec les intérêts de la classe ouvrière ni avec le socialisme. La politique extérieure de l'U.R.S.S. a offensé doublement la classe ouvrière européenne et les intellectuels de gauche : d'une part, dans leurs sentiments socialistes et, de l'autre, dans leurs sentiments nationalistes.

Les dirigeants des partis communistes ont tenté d'adapter l'idéologie et la tactique aux réalités de la nouvelle Europe. Ceux qui ont été le plus loin sont les Italiens et les Espagnols. Dans le parti français, l'héritage stalinien pèse lourdement et le prosoviétisme est encore de rigueur. Pourquoi donc les socialistes français, qui ont fait l'amère expérience des volte-face communistes, ont-ils décidé de gouverner avec le concours du P.C. ? Est-ce la persistance du jacobinisme ou une forme de machiavélisme pour les immobiliser ? Dans le premier cas, ce serait lamentable. Dans le second, c'est un piège bien naïf et qui n'attrapera que les socialistes. Si les circonstances l'exigent, Marchais et son parti n'hésiteront pas à rompre l'alliance comme par le passé[1]. Les communistes considèrent avec animosité les tendances idéologiques voisines : socialistes de toutes nuances, anarchistes, travaillistes. Non seulement ils les ont toujours attaqués, mais, chaque fois qu'ils l'ont pu, ils les ont poursuivis et exterminés. Cette caractéristique, ainsi que la propension à se diviser et à se sous-diviser en sectes et en fractions, montrent bien que le communisme n'est pas vraiment un parti politique, mais un ordre religieux animé par une orthodoxie exclusiviste. Pour les communistes, les autres n'existent qu'en tant que sujets : il faut les convertir ou les éliminer. Dans leur optique, l'alliance veut dire annexion et celui qui garde son indépendance se transforme en hérétique et en ennemi. Certes, les communistes italiens parlent de « compromis historique », un terme qui implique l'alliance non seulement avec les autres partis ouvriers, mais avec la classe moyenne et la bourgeoisie libérale elle-même. Pourtant, il est permis de se demander si la politique des communistes italiens serait la même s'il existait, en Italie, un parti socialiste fort comme en France ou en Espagne.

La réforme la plus spectaculaire a été le renoncement au dogme de la dictature du prolétariat. Sur ce point, il est utile de distinguer la dictature du prolétariat de la dictature du parti communiste. Marx avait affirmé la nécessité de la première, non de la seconde. Dans la conception originelle de Marx et d'Engels, pendant la période de transition vers le socialisme, le pouvoir devait être aux mains des différents partis ouvriers révolutionnaires. Mais, en réalité, dans les pays « socialistes », la

1. Ce fut effectivement le cas.

24

minorité communiste, au nom du prolétariat, exerce une dictature totale sur l'ensemble des classes et des groupes sociaux, y compris les ouvriers. L'abandon de la notion de « dictature du prolétariat » est un signe supplémentaire indiquant que la gauche européenne, sans exclure les communistes, commence enfin à récupérer son *autre tradition*. Non pas celle qui vient de la « volonté générale » de Rousseau, masque de la tyrannie et source intellectuelle du jacobinisme et du marxisme-léninisme, mais la tradition libertaire, pluraliste et démocratique, fondée sur le respect des minorités.

Malgré l'importance des changements opérés au sein des partis communistes d'Italie et d'Espagne, leur évolution a été incomplète. Les partis communistes européens — en particulier celui de France — sont toujours des groupes fermés, à la fois ordres religieux et militaires. En vérité, si l'on veut revenir à la tradition socialiste authentique, il faut d'abord satisfaire une double exigence morale et politique. La première consiste à rompre avec le mythe de l'Union soviétique socialiste ; la seconde, à établir la démocratie interne dans les partis communistes. Ce dernier point suppose la révision de la tradition léniniste à sa racine même. Si les partis communistes veulent cesser d'être des ordres religieux et militaires pour se transformer en authentiques partis politiques, ils doivent commencer par pratiquer la démocratie chez eux et dénoncer les tyrans où qu'ils soient, au Chili ou au Viêt-nam, à Cuba ou en Iran[1].

Ma critique des partis communistes européens ne doit pas être entendue comme une tentative pour disculper

1. L'impossibilité de mener à bien une réforme profonde et réellement démocratique dans les structures de leur appareil explique le déclin progressif et, à mes yeux, irréversible des partis communistes de France et d'Espagne. Le marxisme-léninisme a cessé d'être une idéologie européenne et s'est transformé en catéchisme politico-militaire de minorités révolutionnaires dans des pays de faible développement comme le Nicaragua ou l'Ethiopie.

les autres partis. Ceux-ci, dans leur ensemble, sont bien plus intéressés par le fait d'arriver au pouvoir ou de le conserver que par la préparation de l'avenir. Ils ne sont animés par aucune idée de changement et ne représentent rien de neuf dans l'histoire de ce siècle. Leur idée du mouvement est le va-et-vient des partis, du ôte-toi-de-là-que-je-m'y-mette. Je n'ignore pas que les dirigeants des démocraties libérales se sont montrés habiles et efficaces. Je n'oublie pas non plus qu'ils ont résolu de manière civilisée beaucoup de problèmes et de conflits. Leurs pays jouissent de grandes ressources matérielles, techniques et intellectuelles ; ils ont résisté à la vieille tentation impériale et ont usé prudemment de ces capacités. Mais, en même temps, ils n'ont pas su ou voulu utiliser leurs richesses et leur connaissance technique au bénéfice des pays pauvres et de faible développement économique. Erreur funeste car ces pays, aussi bien en Asie et en Afrique qu'en Amérique, ont été et seront des foyers de troubles et de conflits. Pourtant, s'ils n'ont pas été généreux et prévoyants, les politiciens occidentaux n'ont pas davantage versé dans la démesure. Aucun d'eux n'a été un despote sanguinaire et tous se sont efforcés de respecter non seulement la majorité, mais les minorités. Leurs grandes erreurs et leurs délits se sont limités à des affaires de mœurs et à des scandales financiers. Ils ont exercé le pouvoir — ou les risques de l'opposition — avec modération et une relative intelligence.

Ce tableau serait incomplet si je n'y ajoutais que leur politique a été celle de la facilité et de la complaisance. Idolâtres du *statu quo* et spécialistes du compromis et de la transaction, ils ont manifesté une identique mollesse aussi bien devant l'incroyable égoïsme des masses et des élites de leurs pays que devant les menaces et les chantages des nations étrangères. Leur vision de l'histoire est celle du commerce et c'est pourquoi ils ont vu dans l'islam non pas un monde qui se réveille, mais un client

26

avec lequel il faut marchander. Leur politique avec la Russie — je ne pense pas seulement aux sociaux-démocrates comme Brandt ou Schmidt, mais aux conservateurs comme Giscard — a été et reste une gigantesque automystification. L'essentiel pour eux était de se tirer d'affaire, d'assurer une autre année de digestion pacifique et de gagner les élections suivantes. Je ne sais s'il faut appeler comique ou tragique la disproportion qui existe entre cette espèce de bon sens municipal et les décisions que le présent exige. Pourtant il ne serait pas juste d'ignorer les grands avantages qu'ont obtenus les travailleurs et la classe moyenne de ces pays durant les quarante dernières années. Ces progrès sont dus avant tout aux syndicats ouvriers, de même qu'à l'action des sociaux-démocrates et des travaillistes. A quoi il convient d'ajouter, comme condition économique fondamentale, l'extraordinaire capacité de production des sociétés industrielles modernes et, comme condition sociale et politique non moins essentielle, la démocratie qui a rendu possibles la lutte et la négociation, d'une part, entre les capitalistes et les travailleurs, d'autre part, entre ces deux secteurs et les gouvernements. Capacité productive, liberté syndicale, droit de grève, pouvoir de négociation : voilà ce qui a rendu viables et prospères les démocraties occidentales.

Combien de temps encore les gouvernements occidentaux seront-ils capables d'assurer à leurs peuples ce bien-être qui, s'il n'a pas apporté le bonheur et la sagesse, est une sorte de placidité faite de travail et de consommation ? A mesure que la crise économique s'aggrave, il y aura de moins en moins de travail, moins de choses à acheter et moins d'argent pour les acheter. L'ampleur des problèmes auxquels nous sommes confrontés, nous les hommes du XXe siècle, contraste avec la modestie des programmes et des solutions que nous proposent les gouvernements et les partis d'Europe occidentale. On ne manquera pas de me rappeler, avec quelque raison, que la politique est un art (ou une technique) qui s'exerce dans la relativité des court et moyen termes. En dehors de très rares exceptions, les politiciens de l'Antiquité, eux non plus, n'ont pu prévoir le futur : ils ont réussi car ils ont su répondre au défi du présent, non grâce à leur vision de l'avenir. Tout cela est vrai, mais nous vivons à un carrefour de l'histoire et l'Europe est la grande absente de la politique mondiale.

On ne peut attribuer uniquement le déclin de l'influence européenne au manque d'audace et d'imagination politique de ses partis. Après la Seconde Guerre mondiale, les nations du Vieux Monde se sont repliées sur elles-mêmes et ont consacré leurs immenses capacités à créer une prospérité sans grandeur et à cultiver un hédonisme sans passion et sans risques. La dernière grande tentative pour retrouver l'influence perdue a été celle du général de Gaulle. Avec lui a pris fin une tradition qui, déjà de son vivant et en dépit de sa puissante personnalité, était un archaïsme. La France ne pouvait à elle seule, dans sa nouvelle condition de puissance moyenne, rétablir l'équilibre international et servir de contrepoids aux Etats-Unis et à la Russie. Cette tâche n'aurait pu être entreprise que par les forces combinées d'une Europe unie. Mais cette possibilité n'est jamais entrée réellement dans les vues du général de Gaulle et pour deux raisons : d'abord parce que c'était un politicien profondément nationaliste ; ensuite parce que sa grande intelligence n'excluait pas une dose considérable de réalisme. De Gaulle savait ce que nous savons tous maintenant : les nations européennes veulent vivre ensemble et prospérer dans la paix, mais elles ne veulent rien faire en commun. La seule chose qui les unisse est la passivité face au destin. D'où la fascination exercée sur les foules par le pacifisme, non pas comme une doctrine révolutionnaire, mais comme une idéologie négative. C'est l'autre face du terrorisme : deux expressions contraires du même nihilisme.

Ces dernières années, nous avons assisté au triomphe électoral du socialisme démocratique en Espagne, en France et en Grèce. Ces victoires contiennent des enseignements que devraient méditer tous les Latino-Américains et, spécialement, les démocrates et les socialistes. Le cas de l'Espagne est particulièrement pertinent. Les Espagnols et les Hispano-Américains ont affronté les mêmes obstacles en voulant implanter chez eux les institutions démocratiques. L'histoire de l'Espagne et celle de l'Amérique hispanique durant les deux siècles derniers m'ont fait douter, plus d'une fois, de la viabilité de la démocratie dans nos pays. Je n'aborderai pas ce thème : il est bien connu et je l'ai traité moi-même dans plusieurs écrits. L'Espagne actuelle, après quarante ans de dictature, commence à vivre une vie démocratique exemplaire sous de nombreux aspects. La première leçon qu'elle donne, surtout à nos oligarchies barbares et obtuses, toujours à la recherche d'un uniforme pour garantir l'ordre, est la suivante : si les Espagnols sont parvenus à la coexistence démocratique sans massacres ni guerre civile, pourquoi ne pourrions-nous pas en faire autant ? La seconde leçon est surtout destinée à la gauche latino-américaine, dogmatique et grossière, dans la lignée non pas des Lumières, mais des théologiens du XVIe siècle : le parti socialiste ouvrier espagnol n'a pas seulement renoncé au marxisme, mais il accepte de bon gré le principe de la rotation démocratique. Peut-être nos groupes dirigeants, aussi bien les conservateurs que les radicaux, en méditant l'exemple espagnol, apprendront-ils à pratiquer la tolérance, la critique et le respect des opinions d'autrui.

Le pragmatisme des partis démocratiques, en particulier la social-démocratie, présente des aspects positifs. Ces vertus deviennent visibles à la lumière des critiques des révolutionnaires. Si nous relisons aujourd'hui la polémique entre Kautsky et les bolcheviks, sans doute donnerons-nous raison au premier : sa position face à la dictature communiste n'est pas très différente de celle que défendait Berlinguer ou de celle de Carrillo. Et pourtant, le nom du marxiste allemand est associé depuis un demi-siècle à l'épithète infamante que lui donna Lénine : Kautsky le Renégat. Son cas n'est pas sans rappeler celui de Julien. Ce fut un empereur dans la tradition de Marc Aurèle et un vaillant soldat, mais par la faute de ses ennemis chrétiens, nous le connaissons sous le nom de Julien l'Apostat. Il est certain que les socialistes et les sociaux-démocrates ont cessé d'être révolutionnaires : n'ont-ils pas manifesté ainsi une plus grande sensibilité historique que leurs critiques dogmatiques ? L'absence de révolutions prolétariennes en Europe a démenti la prophétie centrale du marxisme. Renoncer au verbalisme révolutionnaire n'est pas seulement un signe de sobriété intellectuelle, mais d'honnêteté politique.

Depuis la fin du XVIIIe siècle, nous avons vécu le mythe de la Révolution, tout comme les chrétiens des premières générations avaient vécu celui de la Fin du Monde et de l'imminent Retour du Christ. A mesure que passent les années, j'avoue que je considère avec plus de sympathie la révolte que la révolution. La première est un soulèvement spontané et presque toujours légitime contre un pouvoir inique. Par contre, le culte de la révolution est une des expressions de la démesure moderne. Une démesure qui, dans le fond, est un acte de compensation pour pallier une faiblesse intime et une carence. Nous demandons à la révolution ce que les Anciens demandaient aux religions : le salut, le paradis. Notre époque a dépeuplé le ciel des dieux et des anges, mais elle a hérité du christianisme la vieille promesse de changer l'homme. Depuis le XVIIIe siècle, on a cru que ce changement serait le fruit d'une tâche surhumaine quoique non surnaturelle : la transformation révolutionnaire de la société. Cette transformation aurait rendu les hommes *autres*, comme l'ancienne grâce. L'échec des révolutions du XXᵉ siècle est immense et indiscutable. Peut-être l'âge moderne a-t-il commis une terrible confusion en voulant faire de la politique une science universelle. On a cru que la révolution, transformée en science universelle, serait la clef de l'histoire, le sésame qui ouvrirait les portes de la prison où les hommes vivent depuis les origines. Maintenant nous savons que cette clef n'a ouvert aucune prison : elle en a fermé beaucoup.

La conversion de la politique révolutionnaire en science universelle capable de changer les hommes a été une opération de caractère religieux. Mais la politique n'est et ne peut être qu'une pratique et, parfois, un art : sa sphère est la réalité immédiate et contingente. La science non plus — ou plus exactement : les sciences — ne s'est pas proposé de changer l'homme, mais bien de le connaître et, dans la mesure du possible, de le soigner, de l'améliorer. Ni la politique ni les sciences ne peuvent nous donner le paradis ou l'harmonie éternelle. Ainsi, en transformant la politique révolutionnaire en science universelle, on a perverti la politique et la science, on en a fait des caricatures de la religion. Nous payons aujourd'hui dans le sang le prix de cette confusion. Le pragmatisme de la social-démocratie, son abandon progressif du radicalisme et de la vision d'une justice vengeresse qui l'inspirait à ses débuts, peut s'interpréter comme une réaction aux excès et aux crimes du socialisme autoritaire et dogmatique. Cette réaction a été salutaire : en même temps, la social-démocratie n'a pu combler le vide laissé par l'échec de la grande espérance communiste. Cela signifie-t-il, comme beaucoup le prétendent, qu'est revenu le temps des Eglises ? Si tel était le cas, j'espère du moins qu'il resterait sur la terre un petit groupe d'hommes — comme à la fin de l'Antiquité — pour résister à la séduction de l'omniscience divine comme d'autres ont résisté, de nos jours, à celle de l'omniscience révolutionnaire.

CHAPITRE II

Etats-Unis :
La démocratie impériale *

Etrenner la décadence

D'abord, ce fut un secret susurré à l'oreille par quelques personnes bien informées ; puis, les experts commencèrent à publier de savants essais dans les revues spécialisées et à donner des conférences dans les facultés ; aujourd'hui, le thème est débattu au cours de tables rondes télévisées, dans les articles et les enquêtes des périodiques et des journaux populaires, au long des cocktails, des dîners et dans les bars. En moins d'un an, les Nord-Américains ont découvert qu'ils « sont en décadence ». Comme la divinité des théologiens, la décadence est indéfinissable ; comme le printemps dans le poème de Machado, nul ne sait comment elle est arrivée ; et, comme tous deux, elle est partout. Certains ont accueilli la nouvelle avec scepticisme, d'autres avec irritation ou encore avec indifférence. Les esprits religieux la considèrent comme un châtiment du ciel et les pragmatistes invétérés comme une défaillance mécanique réparable. La majorité a reçu la nouvelle dans une sorte de frénésie ambiguë,

* Ces pages ont été écrites en 1980 et, depuis lors, de nombreux changements ont eu lieu aux Etats-Unis. Pourtant, j'ai décidé de les laisser telles quelles. En effet, pour l'essentiel, ces changements ne rendent pas mes observations caduques ; au contraire, presque tous sont venus les confirmer, directement ou indirectement.

un étrange mélange d'horreur, d'exaltation et d'un curieux sentiment de soulagement : enfin !

Depuis toujours, les Nord-Américains sont un peuple projeté vers le futur. Toute leur prodigieuse carrière historique peut être vue comme un galop incessant vers une terre promise : le royaume (ou plutôt : la république) du futur. Une terre qui n'est pas faite de terre, mais d'une substance évanescente : le temps. Dès qu'on le touche, le futur se dissipe, mais pour apparaître à nouveau un peu plus tard, un peu plus loin. Toujours plus loin. Le progrès est fantomatique. Mais aujourd'hui, alors que les Nord-Américains commençaient, littéralement, à s'essouffler, l'avenir descend sous la forme, à la fois abominable et infiniment séductrice, de la décadence. Le futur a enfin un visage.

Les prestiges de la décadence sont moins bruyants et plus urbains, plus subtils et philosophiques que ceux du progrès : la décadence, c'est le doute, le plaisir, la mélancolie, le désespoir, la mémoire, la nostalgie. Le progrès est brutal et insensible, il ignore la nuance et l'ironie, émet des proclamations et des consignes, marche toujours vite et ne s'arrête jamais, sauf quand il s'écrase contre un mur. La décadence mêle le soupir au sourire, le gémissement de plaisir à la douleur, elle pèse chaque instant et contemple les cataclysmes : c'est un art de mourir ou, plutôt, de vivre en mourant. Je crois, pourtant, que la fascination des Nord-Américains n'est pas tellement due aux charmes philosophiques et esthétiques de la décadence, mais au fait qu'elle constitue, pour eux, la porte d'entrée de l'histoire. La décadence leur apporte ce qu'ils ont toujours cherché : la légitimité historique. Les religions gardent jalousement les clefs de l'éternité, qui est la négation — ou mieux, la dissolution — de l'histoire ; par contre, la décadence offre aux peuples parvenus — qu'ils soient romain ou aztèque, assyrien ou mongol — ce modeste succédané de la gloire éternelle qu'est la renommée terrestre. Les Nord-Américains ressentaient leur modernité radicale comme un péché originel historique. La décadence les lave de cette tache.

Pour toutes les civilisations, invariablement, les barbares ont été considérés comme des hommes « hors de l'histoire ». Ce fait d'être « hors de l'histoire » désigna toujours le passé. Par une inversion singulière de la perspective habituelle, la modernité nord-américaine, aboutissement de quatre mille ans d'histoire européenne et mondiale, a été perçue comme une nouvelle barbarie. Dans l'exagération du passé comme dans celle du futur, le civilisé voit deux formes parallèles, bien qu'antagoniques, de l'excentricité des barbares. Pour la conscience européenne, le futur des Nord-Américains n'était pas plus habitable que le passé des primitifs. Ce sentiment fut partagé par certains Nord-Américains remarquables, ceux qu'on pourrait appeler les « fugitifs du futur » : Henry James, George Santayana, T.S. Eliot et d'autres.

De la même façon que les Européens ne pouvaient se reconnaître dans les sociétés nomades — elles étaient le passé irrévocable — ils ne pouvaient ni ne voulaient davantage se reconnaître dans la modernité nord-américaine. Pour eux, les Etats-Unis étaient un pays sans églises romanes ni cathédrales gothiques, sans peinture renaissante ni fontaines baroques, sans noblesse héréditaire ni monarchie absolue. Un pays sans ruines. Et le plus surprenant fut que les Nord-Américains, à de rares exceptions près, acceptèrent le verdict : un peuple « hors de l'histoire » était un peuple barbare. D'où le fait qu'ils aient tenté, par tous les moyens, de justifier leur anomalie. La justification adopta de nombreuses formes. En littérature, elle s'appela Melville, Emerson, Whitman, Twain. Aujourd'hui, grâce à cette apparition inattendue de la décadence, l'anomalie historique a cessé et les Etats-Unis entrent dans la normalité. Ils peuvent se reconnaître sans rougir dans les grands empires du passé. Ils ont retrouvé la mortalité : ils possèdent une histoire.

Les Nord-Américains ne sont pas les seuls à se réjouir de cette décadence fraîchement découverte. L'envie des Européens, le ressentiment des Latino-Américains et la rancœur des autres peuples s'en félicitent jour après jour. Mais ces sentiments sont également historiques ; je veux dire qu'ils remplissent la même fonction que l'idée de décadence. Ils ne sont pas seulement une compensation, mais un témoignage de l'existence d'un grand empire. Ce sont des formes inversées d'admiration. Ils rendent ainsi hommage à une histoire unique, singulière. Quevedo, qui a vécu dans une période de décadence et qui était, de ce fait, expert en matière d'envie et de rancœur, met dans la bouche de Scipion l'Africain, vainqueur des Carthaginois mais vaincu par ses compatriotes, ces paroles arrogantes :

> *Que nul ne pleure ma ruine ni ma destruction,*
> *car, quand je mourrai, mes cendres auront*
> *comme urne Carthage, Annibal pour épitaphe.*

Le sonnet de Quevedo nous ouvre une piste vers un autre sens possible de la vogue actuelle du thème de la décadence. Scipion s'avoue vaincu non par les ennemis de Rome, mais par ses rivaux politiques. Son sort fut celui de tant de héros sacrifiés dans les républiques démocratiques, pépinières d'envie et de démagogie.

Je me demande si la mode du thème de la décadence n'est pas liée à l'actuelle campagne électorale[1]. C'est un argument pour gagner des voix, un projectile lancé contre le rival. Même si cette bataille a été jusqu'ici une lutte sans grandeur — ou peut-être à

1. Ces lignes furent écrites durant la dernière bataille électorale entre Reagan et Carter.

cause de cela — c'est un bon exemple de la maladie endémique des démocraties : les dissensions internes, le combat des factions.

Très souvent, nous avons les Nord-Américains — surtout les intellectuels et les journalistes, mais aussi d'anciens fonctionnaires — critiquer la politique extérieure de leur pays, presque toujours parce qu'elle était l'œuvre d'une administration contraire à leur parti. Je n'ai pas besoin de dire que j'approuve l'attitude des Nord-Américains : c'est le fondement de la liberté authentique ; en même temps, je déplore qu'ils ne soient pas plus circonspects dans l'expression de leurs critiques, non pas pour les atténuer, mais pour empêcher que cet exercice de la liberté ne soit utilisé précisément par les ennemis de la liberté. Ces critiques, presque toujours, sont recueillies et amplifiées par les propagandistes de la Russie sur les cinq continents. Du reste, cette attitude des Nord-Américains est un autre exemple de leur insensibilité face à l'extérieur : ils sont, réellement, hors de l'histoire.

Bien entendu, les discussions internes et la lutte électorale n'expliquent pas entièrement l'apparition du thème de la décadence. Il est évident que nous ne sommes pas devant une invention de la propagande, mais devant une réalité. Mais une réalité qui a été exagérée, ou plutôt défigurée. Je me méfie du mot *décadence*. Verlaine et Moctezuma, Louis XV et Góngora, Boabdil et Gustave Moreau ont été appelés décadents pour des raisons différentes ou opposées. Montesquieu et Gibbon, Vico et Nietzsche ont écrit des pages admirables sur les décadences des empires et des civilisations ; Marx a prophétisé la fin du système capitaliste ; Spengler a diagnostiqué le déclin de la culture occidentale, Benda celui de « la France Byzantine »... et ainsi de suite. A quel type de décadence faisons-nous allusion lorsque nous parlons des Etats-Unis dans les années 1980 ? En dépit de ces incertitudes et imprécisions, nous partageons presque tous l'idée — en fait, le sentiment — que nous vivons une époque crépusculaire. Mais le terme *décadence* ne décrit que très approximativement notre situation. Nous ne sommes pas devant la fin d'un empire, d'une civilisation ou d'un système de production : le mal est universel, il corrompt tous les systèmes et empoisonne les cinq continents. Le thème de la crise générale de la civilisation n'est pas nouveau : depuis plus de cent ans, philosophes et historiens ont écrit des livres et des essais sur le déclin de notre monde. Par contre, le thème jumeau — celui de la fin de ce monde — fut toujours le domaine de la pensée religieuse. C'est une croyance qu'ont partagée de nombreux peuples à travers l'histoire : les Hindous, les Sumériens, les Aztèques, les premiers chrétiens et ceux de l'An Mil. Maintenant, les deux thèmes se sont fondus en un seul qui offre, alternativement, des résonances scientifiques et politiques, eschatologiques et biologiques. Non seulement nous vivons une crise de la civilisation mondiale, mais cette crise peut culminer dans la destruction physique de l'espèce humaine.

La destruction de la planète Terre est un sujet que n'ont traité ni Marx ni Nietzsche, ni aucun des philosophes qui ont abordé le thème de la décadence. Quant à la pensée religieuse, dont le thème de prédilection est la mort et la naissance des hommes et des sociétés, ses traditions ont toujours affirmé que le monde serait détruit par des êtres surnaturels ou par des forces cosmiques, non par l'action des hommes employant des moyens techniques. De son côté, la science moderne a beaucoup spéculé sur la fin des fins, je veux dire celle de l'univers entier et pas seulement de notre planète ; la deuxième loi de la thermodynamique — le refroidissement progressif et la chute sans fin dans un désordre inerte — a été et reste notre Trompette du Jugement dernier. Pourtant, la dégradation ultime de l'énergie ne sera pas l'œuvre des hommes, mais celle de l'économie même de la nature. Les anciens philosophes se demandèrent si l'univers était voué à l'extinction. Certains défendirent l'hypothèse d'un univers autosuffisant et éternel ; d'autres penchèrent pour la vision cyclique : la conflagration *(ekpyrosis)* qui, selon les stoïciens, met fin à une période cosmique et allume en même temps le feu de la résurrection universelle. La philosophie moderne n'a pas repris le thème de la fin du monde ni les autres spéculations cosmologiques de l'Antiquité. Bien sûr, elle a beaucoup réfléchi sur la mort individuelle et sur la décadence des sociétés et des civilisations, mais la disparition de notre planète a été traitée par la physique et les autres sciences naturelles.

Dans la seconde moitié du XXᵉ siècle, la fin du monde est devenue une affaire publique, laissée à la compétence exclusive des hommes et de leurs actes. Il ne s'agit plus de démiurges ni de forces naturelles ; les hommes seront responsables de l'extinction ou de la survie de l'espèce. Voilà la grande nouveauté historique de notre siècle. Une nouveauté absolue et qui peut signifier la fin de toute nouveauté. Si tel était le cas, le destin aurait guéri les hommes, d'une manière terrible et tout aussi absolue, du mal dont ils souffrent depuis le début des temps et qui, aggravé au long des deux derniers siècles, aujourd'hui les corrompt : le goût avide des nouveautés, le culte insensé du futur. Tout comme les âmes de Dante, nous serions condamnés à l'*abolition du futur*, mais avec la différence que nous ne pourrions même pas voir cet impensable événement. En vérité, notre sort serait — sinistre symétrie — exactement le contraire du leur : la mort éternelle. Ainsi, notre époque aurait réalisé son destin jusqu'au bout : être la négation du christianisme.

Dans la crise générale de la civilisation, les Etats-Unis occupent une place centrale ; de la même façon, ils partagent avec les Russes la responsabilité atroce de pouvoir en finir avec l'espèce humaine et avec toute vie sur cette planète. Mais il est clair que, quand nous parlons de la décadence de la République impériale des Etats-Unis, nous nous référons à tout autre chose. Dans la perspective de la crise mondiale de la civilisation, les Etats-Unis ont moins enduré que presque toutes les autres nations les horreurs et les massacres de notre époque. Bien qu'ils aient connu de nombreuses vicissitudes et subi d'énormes changements, leurs fondements politiques, sociaux et économiques sont encore intacts. La démocratie nord-américaine est parvenue à corriger, en partie tout au moins, ses graves imperfections dans le domaine des droits des minorités ethniques. On peut également voir une amélioration dans le domaine des libertés individuelles et dans le respect de la morale et de la vie privées. Enfin, les Nord-Américains n'ont pas connu le totalitarisme, contrairement aux Allemands, aux Russes et aux nations qui vivent sous la domination soviétique. Ils n'ont pas subi l'occupation ni vu leurs villes détruites et ils n'ont pas davantage souffert des dictatures, des guerres civiles, des famines, des ignominies et des exactions comme tant d'autres peuples.

Aux Etats-Unis, la réaction première et naturelle de n'importe quel visiteur est l'étonnement. Peu de gens sont allés au-delà de la surprise initiale — une admiration parfois mêlée de rejet — et ont perçu l'immense originalité de ce pays. Un de ces rares voyageurs clairvoyants, le premier d'entre eux, fut Tocqueville. Ses réflexions n'ont pas vieilli. Il avait prévu la grandeur future de l'Union américaine et compris la nature du conflit qui, depuis sa naissance, l'habite. Un conflit auquel cette nation doit, simultanément, ses grandes réussites et ses faux pas : l'opposition entre la liberté et l'égalité, l'individu et la démocratie, les libertés locales et le centralisme gouvernemental. La vision de Henry

Adams fut à la fois moins large et peut-être plus profonde : il vit au sein de la société nord-américaine l'opposition entre la Dynamo, qui transforme le monde mais le réduit à des séries uniformes, et la Vierge, énergie naturelle et spirituelle qui irrigue et illumine l'âme des hommes, produisant ainsi la variété et la variation de nos œuvres. Avec lucidité, Tocqueville et Adams ont prévu ce qui allait arriver ; nous autres, à présent, nous voyons ce qui se passe. Dans cette perspective, peut-être mes réflexions ne sont-elles pas entièrement inutiles.

Quand je parle d'« originalité », je ne songe pas aux contrastes que nous connaissons tous — la grande richesse et l'extrême privation, la vulgarité criarde et la plus pure beauté, la cupidité et le désintéressement, l'énergie persévérante et la passivité du drogué ou la frénésie de l'ivrogne, la liberté altière et la docilité du troupeau, la précision intellectuelle et les délires de la statistique, la pudibonderie et le débordement — mais bien à la *nouveauté historique* que constituent les Etats-Unis. On ne trouve rien, dans le passé des hommes, qui soit comparable à cette réalité bigarrée et, pour ainsi dire, gorgée d'elle-même. Gorgée et vide : qu'y a-t-il derrière cette énorme variété de produits et de biens qui s'offrent à notre vue avec une sorte d'impudicité généreuse ? Richesse fascinante, c'est-à-dire trompeuse. En le disant, je ne pense pas aux injustices et aux inégalités de la société nord-américaine : elles sont nombreuses, mais il y en a moins et elles sont moins graves que dans nos pays et dans la majorité des nations. Je ne dis pas richesse trompeuse parce qu'elle serait irréelle, mais parce que je me demande si une société peut vivre enfermée dans le cercle de la production et de la consommation, du travail et du plaisir. On dira que cette situation n'est pas unique, mais commune à tous les pays industriels. Certes, mais les Etats-Unis sont allés le plus loin dans cette voie, ils représentent l'expression la plus parfaite de la modernité et, dans ce pays, la situation a atteint sa limite extrême. En outre, cette situation présente un trait unique, inexistant dans les autres nations. Et je renouvelle ma question : qu'y a-t-il derrière cette richesse ? Je ne peux répondre : je ne trouve rien, il n'y a rien. Je m'explique : toutes les institutions nord-américaines, la technique, la science, l'énergie, l'éducation, sont un moyen, un *pour*... La liberté, la démocratie, le travail, le génie inventif, la persévérance, le respect de la parole donnée, tout *sert*, tout est un moyen pour obtenir, mais quoi ? Le bonheur dans cette vie, le salut dans l'autre, le bien, la vérité, la sagesse, l'amour ? Les fins ultimes, celles qui comptent vraiment parce qu'elles donnent un sens à notre vie, n'apparaissent pas à l'horizon des Etats-Unis. Elles existent, bien sûr, mais elles relèvent du domaine privé. Les questions et les réponses sur la vie et son sens, la mort et l'autre vie, traditionnellement confisquées par les Eglises et les Etats, étaient des sujets du domaine public. La grande nouveauté historique des Etats-Unis consiste à essayer de les restituer à la vie intime de chacun. Ce que la Réforme protestante a réalisé dans la sphère des croyances et des sentiments religieux, l'Union américaine l'a effectué dans le domaine séculier. Immense nouveauté, changement sans antécédents dans le passé : qu'est-il laissé à l'action de l'Etat, c'est-à-dire à l'histoire ?

Contrairement à toutes les autres sociétés connues, la société nord-américaine a été fondée pour permettre à ses citoyens de réaliser leurs desseins privés dans la paix et la liberté. Le bien commun ne réside pas dans une finalité collective ou métahistorique, mais dans la coexistence harmonieuse des fins individuelles. Les nations peuvent-elles vivre sans croyances communes et sans une idéologie métahistorique ? Jadis, les faits et gestes de chaque peuple se nourrissaient d'une métahistoire qui les justifiait. Autrement dit, il y avait une fin commune par-dessus les individus, une fin liée à des valeurs qui étaient — ou se prétendaient — transcendantes. Certes, les Nord-Américains partagent des croyances, des valeurs et des idées : liberté, démocratie, justice, travail... Mais il s'agit là d'un ensemble de moyens, un perpétuel *pour*. Les fins ultimes de leurs actes et de leurs pensées n'appartiennent pas au domaine public, mais privé. L'Union américaine a été la première tentative historique pour rendre à l'individu ce que l'Etat, depuis le début, lui avait enlevé.

Je ne veux pas dire que l'Etat nord-américain soit le seul Etat libéral : sa fondation fut inspirée par les exemples de la Hollande, de l'Angleterre et de la philosophie du XVIIIᵉ siècle. Mais la nation nord-américaine, et pas seulement l'Etat, se distingue des autres précisément par le fait d'avoir été fondée sur base de ces idées et principes. Contrairement à ce qui s'est passé ailleurs, la Constitution nord-américaine ne modifie ni ne change une situation antérieure — autrement dit : le régime monarchique avec ses classes héréditaires, ses trois ordres et ses juridictions spéciales —, mais elle fonde une nouvelle société. C'est un commencement absolu. On a dit fréquemment que, dans les sociétés démocratiques libérales, en particulier aux Etats-Unis, les groupes et les individus, avant tout les entreprises capitalistes, mais aussi les bureaucraties ouvrières et les autres secteurs, à force de croître sans frein, ont substitué à la domination de l'Etat celle des intérêts particuliers. Cette critique est juste. Pourtant, il faut ajouter qu'il s'agit d'une réalité qui défigure gravement le projet original, mais qui en aucun cas ne l'annule. Le principe fondateur est encore vivant. La preuve en est qu'il continue d'inspirer les mouvements d'autocritique et de réforme qui, périodiquement, ébranlent les Etats-Unis. Tous ces mouvements se sont présentés comme un retour aux origines.

La grande originalité historique de la nation nord-américaine et, de la même façon, la racine de sa contradiction, est inscrite dans l'acte même de sa fondation. Les Etats-Unis ont été fondés pour que leurs citoyens vivent entre eux et avec eux-mêmes, libres enfin du poids de l'histoire et des fins métahistoriques que l'Etat assignait aux sociétés du passé. Ce fut une construction contre l'histoire et ses désastres, face au futur, cette *terra incognita* avec laquelle les Etats-Unis se sont identifiés. Le culte du futur s'insère tout naturellement dans le projet nord-américain ; il est, pour ainsi dire, sa condition et son résultat. La société nord-américaine s'est fondée par un acte d'abolition du passé. Contrairement aux Anglais ou aux Japonais, aux Allemands ou aux Chinois, aux Mexicains ou aux Portugais, les citoyens des Etats-Unis ne sont pas les fils d'une tradition, mais son commencement. Ils ne perpétuent pas un passé : ils inaugurent un temps nouveau. L'acte de fondation (dans les deux sens du mot acte) — à la fois annulation du passé et naissance d'une réalité distincte — se répète sans cesse à travers leur histoire : chacun de ces épisodes se définit non pas face au passé, mais devant le futur. C'est un pas de plus vers *là-bas*. Vers où ? Vers un *nowhere* qui est partout sauf ici et maintenant. Le futur n'a pas de visage, c'est une pure possibilité... Mais les Etats-Unis ne *vivent* pas dans le futur, cette région inexistante, ils vivent ici et maintenant, parmi nous, les peuples étranges de l'histoire. Ils sont un empire et leurs plus légers mouvements secouent le monde entier. Ils auraient voulu être hors du monde mais ils sont dans le monde, ils sont le monde. Ainsi la contradiction de la société nord-américaine contemporaine (être à la fois un empire et une démocratie) résulte d'une autre contradiction plus profonde : avoir été fondée contre l'histoire et être elle-même histoire.

Lors d'un voyage récent aux Etats-Unis, je fus surpris par l'abondance — dans les vitrines et sur les tables des libraires de New York et de Cambridge — de livres et de revues sur le thème de la décadence. D'une part, ces publications satisfont la tendance nord-américaine à l'autocritique et à l'autoflagellation ; de l'autre ce sont des fabrications de l'industrie publicitaire. Dans une société régie par le culte de la mode — un culte qui est aussi un commerce — même le thème de la décadence se transforme en nouveauté et en négoce. Beaucoup de ces livres et articles sur le déclin des Etats-Unis sont, dans le double sens du terme, des spéculations. En même temps, ils remplissent, bien ou mal, une fonction psychologique et morale dont je ne sais s'il faut l'appeler compensation ou purification. Les Nord-Américains se livrent aujourd'hui, avec une fièvre obscure, aux plaisirs austères de l'examen de conscience. Est-ce un signe de penchants morbides ou d'une recherche du salut ?

Il convient de faire la part entre les livres, les essais et les articles sur le déclin des Etats-Unis. Souvent, il s'agit d'élucubrations, de variations plus ou moins intelligentes sur une de ces fantaisies collectives que notre monde sécrète périodiquement, dans sa soif perpétuelle de nouveautés et de cataclysmes. D'autres publications, les plus sérieuses, sont des analyses concrètes de problèmes bien déterminés ou portent sur des sujets délimités : questions militaires, relations internationales, problèmes économiques. Presque tous ces écrits sont convaincants et, après les avoir lus, il est difficile de ne pas admettre que, depuis des années, nous assistons à une diminution graduelle de la puissance militaire et politique des Etats-Unis. De nombreux signes semblent nous annoncer que la République impériale, après avoir atteint son zénith, est probablement en train d'amorcer son déclin. C'est un lent processus et qui peut durer un siècle, comme ce fut le cas en Espagne, ou trois ou quatre, comme à

Rome. A ceci près que, contrairement à ce qui est survenu dans le passé, nous ne voyons pas encore poindre un nouvel astre à l'horizon historique. Les maux et les contradictions de leur grand rival sont bien plus graves et peut-être incurables. L'Union soviétique est une société de castes et un empire multinational sous la domination de la Grande Russie. Elle vit ainsi entre la menace de la pétrification et celle de l'explosion.

Epicure ou Calvin ?

Les Etats-Unis traversent une période de doute et de désorientation. S'ils n'ont pas perdu la foi dans leurs institutions — l'épisode du Watergate fut un exemple admirable — ils ne croient plus comme naguère dans le destin de leur nation. Il est impossible, dans le cadre de cet article, d'examiner toutes les raisons et toutes les causes : elles relèvent de la « longue durée ». Qu'il suffise de dire que l'état d'esprit actuel du peuple nord-américain est, probablement, la conséquence de deux phénomènes contraires, mais qui, comme souvent dans l'histoire, se sont conjugués. Le premier est le sentiment de culpabilité qu'éveilla dans beaucoup d'esprits la guerre du Viêt-nam ; le second est l'usure de l'éthique puritaine et l'essor de l'hédonisme de l'abondance. Le sentiment de culpabilité, ajouté à l'humiliation de la défaite, a renforcé l'isolationnisme traditionnel, qui a toujours considéré la démocratie nord-américaine comme une île de vertu dans la mer de perversions de l'histoire universelle. L'hédonisme, de son côté, ignore le monde extérieur et, avec lui, l'histoire. Isolationnisme et hédonisme coïncident sur un point : tous deux sont antihistoriques. Tous deux sont les expressions d'un conflit au sein de la société nord-américaine depuis la guerre avec le Mexique, en 1847. Mais ce

conflit n'est devenu pleinement visible qu'au XXᵉ siècle : les Etats-Unis sont à la fois une démocratie et un
empire. J'ajoute : un empire particulier, car il ne correspond pas totalement à la définition classique. Il
s'agit d'une réalité très différente de ce que furent les
empires romain, espagnol, portugais ou anglais.

Perplexes devant leur double nature historique, les
Etats-Unis ne savent plus quel chemin prendre. L'alternative est mortelle : s'ils choisissent le destin impérial,
ils cesseront d'être une démocratie et perdront ainsi
leur raison d'être comme nation. Mais, comment renoncer au pouvoir sans être immédiatement détruits
par leur rival, l'Empire russe ? On dira que la Grande-
Bretagne fut à la fois une démocratie et un empire.
Mais la situation contemporaine est très différente :
l'Empire britannique fut exclusivement colonial, il se
situait outre-mer ; en même temps, dans sa politique
européenne et américaine, l'Angleterre ne cherchait
pas l'hégémonie, mais l'équilibre des forces. Cette politique de l'équilibre correspond à une autre étape de
l'histoire mondiale. Ni la Grande-Bretagne ni les autres
grandes puissances européennes n'ont dû s'affronter à
un Etat comme l'U.R.S.S., dont l'expansion impérialiste est inextricablement liée à une orthodoxie universelle. L'Etat Bureaucratique Russe n'aspire pas seulement à la domination mondiale, mais c'est une orthodoxie militante qui ne tolère pas d'autres idéologies ni
d'autres systèmes de gouvernement.

Si, au lieu de comparer la situation internationale à
laquelle les Etats-Unis se confrontent aujourd'hui avec
celle qui prévalait en Europe pendant la seconde moitié
du siècle passé, nous pensons à la Rome de la fin de la
République, la comparaison s'avère encore plus défa-
vorable à la démocratie nord-américaine. Les difficultés des Romains au Iᵉʳ siècle avant Jésus-Christ étaient
surtout d'ordre interne, ce qui explique en partie la
férocité des luttes entre les diverses factions : Rome

s'était déjà assuré la domination du monde connu et son seul rival — les Parthes — était un empire sur la défensive. En outre et surtout, aucune des puissances qui avaient combattu les Romains ne s'identifiait avec une idéologie universaliste. Par contre, la politique extérieure contradictoire des Etats-Unis — conséquence des disputes entre les groupes et les partis comme de l'incapacité des dirigeants à tracer un plan général à long terme — coïncide avec l'existence d'un empire agressif et qui incarne une idéologie universaliste. Pour comble de malheur, l'alliance occidentale est un ensemble de pays dont les intérêts et les lignes politiques ne sont pas toujours ceux des Etats-Unis.

L'expansion de la république nord-américaine a été la conséquence naturelle et fatale, pour ainsi dire, de son développement économique et social ; l'expansion romaine fut le résultat de l'action délibérée de l'oligarchie sénatoriale et de ses généraux pendant plus de deux siècles. La politique extérieure de Rome est un exemple remarquable de cohérence, d'unité d'intention, de persévérance, d'habileté, de ténacité et d'esprit d'à propos — justement toutes les vertus que nous reconnaissons le moins souvent aux Nord-Américains. Tocqueville fut le premier à voir où se trouvait la faille et en quoi elle consistait : « En ce qui concerne la direction des affaires étrangères de la société, les gouvernements démocratiques me semblent décidément inférieurs aux autres... La politique extérieure ne requiert l'usage de presque aucune des qualités qui sont propres à la démocratie ; au contraire, elle exige le développement de presque toutes celles qui lui manquent... La démocratie saurait difficilement coordonner les détails d'une grande entreprise, tracer un plan au préalable et le suivre obstinément, à travers tous les obstacles. Elle a peu d'aptitude à combiner les mesures en secret et à attendre patiemment leurs résultats. Ces qualités sont celles d'un homme ou d'une aristocratie,

48

et ces qualités, précisément, sont celles qui font que, à la longue, les peuples, comme les individus, finissent par dominer. »

L'origine de la démocratie nord-américaine est religieuse, elle se situe dans les communautés de dissidents protestants qui s'établirent dans le pays aux XVIe et XVIIe siècles. Les préoccupations religieuses se transformèrent ensuite en idées politiques teintées de républicanisme, de démocratie et d'individualisme, mais la tonalité initiale n'a jamais disparu de la conscience publique. Religion, morale et politique sont inséparables aux Etats-Unis. Voilà la grande différence entre le libéralisme européen, presque toujours laïc et anticlérical, et celui des Nord-Américains. Chez eux, les idées démocratiques ont un fondement religieux, parfois implicite, le plus souvent explicite. Ces idées ont justifié la tentative, unique dans l'histoire entière, de constituer une nation comme un *covenant* face à la nécessité ou la fatalité historiques, voire contre elles. Aux Etats-Unis, le pacte social n'a pas été une fiction, mais une réalité. Et il s'est concrétisé pour *ne pas* répéter l'histoire européenne. Voilà l'origine de l'isolationnisme nord-américain : la tentative de fonder une société à l'abri des vicissitudes dont avaient souffert les peuples d'Europe. Comme je l'ai déjà dit, c'est une construction contre l'histoire, ou plutôt hors de l'histoire. D'où le fait que l'expansion nord-américaine, jusqu'à la guerre avec le Mexique, ait eu pour objectif de coloniser les espaces vides — les Indiens ont toujours été considérés comme *nature* — et cet espace encore plus vide qu'est le futur.

S'ils le pouvaient, les Nord-Américains s'enfermeraient dans leur pays et tourneraient le dos au monde, sauf pour commercer avec lui et pour le visiter. L'utopie nord-américaine — où abondent, comme dans toutes les utopies, des traits monstrueux — est un mélange de trois rêves : celui de l'ascète, celui du marchand et celui de l'explorateur. Trois individualistes. D'où la répugnance qu'ils manifestent quand ils doivent s'affronter au monde extérieur, leur incapacité à le comprendre et leur manque d'habileté pour le diriger. Ils constituent un empire, entouré de nations qui sont leurs alliées et d'autres qui veulent les détruire, mais eux préféreraient demeurer seuls : le monde extérieur est le mal, l'histoire est perdition. Tout le contraire de la Russie, un autre pays religieux, mais qui identifie la religion avec l'Eglise et trouve légitime de confondre l'idéologie et le Parti. L'Etat communiste — comme on l'a clairement vu durant la dernière guerre — n'est pas seulement le successeur de l'Etat tsariste ; il continue sa politique. La notion de pacte ou de *covenant* n'a jamais figuré dans l'histoire politique de la Russie, ni dans la tradition tsariste ni dans celle du bolchevisme. On n'y trouve pas davantage l'idée de la religion comme un domaine relevant de la seule conscience individuelle ; pour les Russes, ni la politique ni la religion n'appartiennent à la sphère de la conscience privée, mais au domaine public. Les Nord-Américains ont voulu et veulent toujours construire un monde qui leur soit propre, hors de ce monde ; les Russes ont voulu et veulent toujours dominer le monde pour le convertir.

La contradiction des Etats-Unis affecte les fondements mêmes de leur nation. Ainsi, la réflexion sur les Etats-Unis et leurs discours actuels débouche sur une question : seront-ils capables de résoudre la contradiction entre empire et démocratie ? Il en va de leur vie et de leur identité. Bien qu'il soit impossible de répondre à cette question, il ne l'est pas de risquer un commentaire.

Le sentiment de la faute peut se transformer, s'il est bien mis à profit, en un début de santé politique ; par contre, l'hédonisme ne peut conduire qu'à la démission, à la ruine et à la déroute. Il est vrai que, depuis le

Viêt-nam et le Watergate, nous avons assisté à une sorte d'orgie masochiste et que nous avons vu de nombreux intellectuels, clercs et journalistes, déchirer leur tunique et se frapper la poitrine en signe de contrition. Les auto-accusations, généralement, n'étaient pas et ne sont pas fausses, mais le ton était souvent délirant, comme lorsqu'un journaliste, dans le *New York Times*, rendit la politique américaine en Indochine coupable des atrocités qu'ont commises, depuis lors, les Khmers rouges et les Vietnamiens. Néanmoins, le sentiment de culpabilité ne fait pas seulement office de compensation, en maintenant l'équilibre psychique ; il possède une valeur morale. Il naît de l'examen de conscience et de la reconnaissance d'avoir mal agi. Ainsi, il peut se convertir en sentiment de responsabilité, le seul antidote contre l'ivresse de l'*hybris*, aussi bien pour les individus que pour les empires. A l'inverse, il est plus difficile de transformer l'hédonisme épidermique des masses modernes en une force morale. Pourtant, il n'est pas illusoire d'avoir confiance dans le fondement éthique et religieux du peuple nord-américain : c'est une source obstruée, mais non tarie.

La politique extérieure des Etats-Unis s'est montrée errante et zigzagante, fréquemment contradictoire et, parfois, incohérente. Le principal défaut de cette conduite, son inconsistance fondamentale, ne réside pas uniquement dans les défaillances des dirigeants, pourtant nombreuses, mais dans le fait de se définir comme une politique plus sensible aux réactions de l'intérieur qu'à celles de l'extérieur. Ses objectifs sont de contenir l'Union soviétique et ses troupes de choc (Cuba, Viêt-nam), de consolider son alliance avec le Japon et les démocraties européennes, de resserrer ses liens avec la Chine, de parvenir à un accord au Proche-Orient qui préserverait l'indépendance d'Israël et conforterait son amitié avec l'Egypte, de nouer des amitiés parmi les pays arabes et ceux d'Amérique latine, d'Afrique et d'Asie. Tels sont les objectifs déclarés, mais le véritable but est de gagner des voix aux élections et de satisfaire les aspirations ou les ambitions de tel ou tel groupe, qu'il s'agisse des Juifs ou des Noirs, des ouvriers ou des agriculteurs, de l'*Establishment* de l'Est ou des Texans. Il est clair que la politique d'une grande puissance ne peut être inféodée aux intérêts changeants et divergents de différents groupes. Plus que les armes de Sparte, ce sont les luttes entre les partis qui ont causé la perte d'Athènes.

Toute énumération des erreurs de la politique nord-américaine doit impliquer la réserve suivante : ces erreurs, magnifiées par les moyens de publicité et par les passions politiques, révèlent des failles et des vices inhérents aux démocraties ploutocratiques, mais elles ne sont pas le signe d'une faiblesse intrinsèque. Les Etats-Unis ont subi des défaites et essuyé des revers, mais leur pouvoir économique, scientifique et technique reste supérieur à celui de l'Union soviétique. Les institutions nord-américaines furent conçues pour une société en perpétuel mouvement, alors que celles de l'U.R.S.S. correspondent à une société de castes statique. C'est pourquoi le plus petit changement en Union soviétique met en péril les fondements mêmes du régime. Les institutions russes ne résisteraient pas à cette épreuve que constitue, tous les quatre ans, l'élection du Président des Etats-Unis. Quant à un phénomène comme celui du Watergate, il aurait déchaîné, en Russie, une révolution. On parle beaucoup de l'infériorité nord-américaine en matière militaire, surtout dans le domaine des armes conventionnelles. C'est une infériorité passagère. Les Etats-Unis ont assez de ressources humaines et matérielles pour rétablir l'équilibre militaire. Mais en ont-ils la volonté politique ? Il est difficile d'apporter une réponse univoque à cette question. Ces dernières années, les Nord-Américains ont souffert d'une instabilité psychique qui les a conduits d'un extrême à l'autre. Ils n'ont pas seulement perdu le cap, mais leur *self-control*. Ce n'est pas de pouvoir qu'ils ont manqué, mais de sagesse. Au-delà des exagérations de la publicité, le mot décadence peut s'appliquer aux Etats-Unis dans un sens moral et politique. Entre leur puissance et leur politique extérieure, entre leurs vertus internes et leurs actions internationales, il y a une disparité évidente. Ce qui manque au peuple nord-américain comme à ses dirigeants, c'est ce sixième sens qu'ont partagé presque toutes les grandes nations : la *prudence*. Depuis Aristote, ce terme désigne la plus haute vertu politique. La prudence est faite de sagesse et de fermeté, d'audace et de modération, de discernement et de persistance dans la mise en action. C'est Castoriadis qui nous a donné récemment la meilleure définition — et la plus succincte — de la *prudentia* : *faculté de s'orienter dans l'histoire*. C'est la faculté qui nous semble souvent la moins répandue aux Etats-Unis.

On compare fréquemment les Etats-Unis avec Rome. Le parallèle n'est pas tout à fait exact — la composante utopique n'apparaît pas à Rome, alors qu'elle est centrale aux Etats-Unis — mais il est utile. Pour Montesquieu, la décadence des Romains fut le résultat d'une double cause : le pouvoir de l'armée et la corruption par le luxe. Le premier fut à l'origine de l'empire, la seconde de sa ruine. L'armée leur donna le pouvoir sur le monde, mais, avec lui, la mollesse irresponsable et la dissipation. Les Nord-Américains seront-ils plus sages et plus sobres que les Romains, feront-ils preuve d'une plus grande force d'âme ? Cela semble très difficile. Pourtant, il y a un trait qui aurait encouragé Montesquieu : les Nord-Américains ont su défendre leurs institutions démocratiques et les ont même élargies et perfectionnées. A Rome, l'armée instaura le despotisme des Césars ; les Etats-Unis endurent les maux et les vices de la liberté, non ceux de la tyrannie. Et même si elle est déformée, on ne peut douter de la vivacité de la tradition morale de la critique qui les a accompagnés tout au long de leur histoire. Les accès de masochisme sont précisément des expressions maladives de cette exigence morale.

Grâce à l'autocritique, les Etats-Unis ont su résoudre, dans le passé, bien d'autres conflits. Aujourd'hui même, ils ont montré leurs capacités à se rénover. Durant les vingt dernières années, ils ont fait de grands progrès pour résoudre l'autre contradiction de taille qui les déchire : la question raciale. Il n'est pas impossible que, à la fin du siècle, les Etats-Unis deviennent la première démocratie multiraciale de l'histoire. Malgré ses graves imperfections et ses défauts, le système démocratique nord-américain vient corroborer la vieille opinion : si la démocratie n'est pas le gouvernement idéal, elle est, en tout cas, le moins mauvais. Un des plus beaux acquis du peuple nord-américain a été de préserver la démocratie face aux deux grandes menaces contemporaines : les puissantes oligarchies capitalistes et l'Etat bureaucratique du XXᵉ siècle. Autre signe positif : les Nord-Américains ont fait un grand pas en avant dans l'art de la vie en commun, non seulement entre les différents groupes ethniques, mais dans des domaines traditionnellement frappés d'interdit par la morale courante, comme celui de la sexualité. Certains critiques regrettent la *permissiveness* et le relâchement des mœurs dans la société nord-américaine ; j'avoue que l'autre extrême me semble plus effrayant : le cruel puritanisme communiste et la pudibonderie sanglante d'un Khomeyni. Enfin, le développement des sciences et de la technologie est une conséquence directe de la liberté de recherche et de critique qui prédomine dans les universités et les institutions culturelles des Etats-Unis. La supériorité nord-américaine dans ces domaines n'a rien d'accidentel.

Comment expliquer la médiocrité accablante des politiciens dans cette démocratie qui se révèle toujours si fertile dans la science, la technique et les arts ? Cela donnerait-il raison aux adversaires de la démocratie ? Nous devons accepter que la volonté de la majorité n'est pas nécessairement synonyme de sagesse : les Allemands votèrent pour Hitler et Chamberlain fut élu démocratiquement. Le système démocratique est exposé aux mêmes risques que la monarchie héréditaire : les erreurs de la volonté populaire sont aussi nombreuses que celles des lois de l'hérédité et les mauvaises élections aussi imprévisibles que les héritiers tarés. Le remède réside dans le système de contrôles et de balances : l'indépendance du pouvoir judiciaire et du législatif, le poids de l'opinion publique sur les décisions gouvernementales grâce à l'exercice de la critique, saine et sensée, à travers les moyens de communication. Malheureusement, ces dernières années, ni le Sénat, ni les media, ni l'opinion publique n'ont manifesté des signes de *prudence* politique. Ainsi, les inconsistances de la politique extérieure des Etats-Unis ne sont pas seulement imputables aux dirigeants et aux politiciens, mais à la nation tout entière. Non seulement les intérêts des groupes et des partis passent avant ceux de la collectivité, mais l'opinion nord-américaine s'est montrée incapable de comprendre ce qui se déroule au-delà de ses frontières. Cette critique peut s'appliquer aussi bien aux conservateurs qu'aux libéraux, au clergé qu'aux dirigeants syndicaux. Il n'existe pas de pays mieux informé que les Etats-Unis ; leurs journalistes sont excellents et on les trouve partout, leurs experts et spécialistes racontent les événements avec tous leurs tenants et aboutissants — et le résultat de cette gigantesque montagne d'informations et de nouvelles est, presque toujours, la souris de la fable. Défaillance intellectuelle ? Non : manque de vision historique. De par la nature même du projet qui fonda la nation — la mettre à l'abri de l'histoire et de ses horreurs — les Nord-Américains souffrent d'une difficulté congénitale à comprendre le monde extérieur et à s'orienter dans ses labyrinthes.

Une autre faille de la démocratie nord-américaine, déjà remarquée par Tocqueville, réside dans le fait que les tendances égalitaires ne suppriment pas l'égoïsme individuel, mais le déforment. Outre que ces tendances n'ont pu éviter la naissance et la prolifération des inégalités sociales et économiques, elles ont écarté les meilleurs ou gêné leur participation à la vie publique. L'exemple le plus évident est la situation de la classe intellectuelle : l'excellence de leurs progrès dans les sciences, la technique, les arts et l'éducation contraste avec leur peu d'influence en politique. Il est vrai que beaucoup d'intellectuels servent ou ont servi les gouvernements mais, presque toujours, en tant que techniciens et experts, c'est-à-dire *pour faire* telle ou telle chose, non pour désigner des buts et des fins. Certains intellectuels ont été les conseillers des Présidents et ont ainsi contribué à concevoir et à exécuter la politique extérieure des Etats-Unis. Mais il s'agit de cas isolés. La classe intellectuelle nord-américaine, en tant que corps social, n'a pas l'influence de ses confrères d'Europe et d'Amérique latine. Elle ne l'a pas, en premier lieu, parce que la société n'est pas disposée à la lui concéder. Je n'ai pas besoin de rappeler les termes péjoratifs avec lesquels on désigne l'intellectuel : *egghead, highbrow*. Ces adjectifs ont porté préjudice à la carrière politique d'Adlai Stevenson, pour ne citer qu'un seul exemple.

A leur tour, les intellectuels nord-américains ont témoigné peu d'intérêt pour les grandes abstractions philosophiques et politiques qui ont passionné notre époque. Cette indifférence a présenté un aspect positif : elle les a préservés des égarements de beaucoup d'intellectuels européens et latino-américains. Tout comme des chutes et des rechutes dans l'abjection de tant d'écrivains qui ont cumulé, sans sourciller, les honneurs publics et les prix internationaux avec les flagorneries devant les Staline, les Mao et les Castro. Parmi les grands poètes nord-américains, il n'y en a qu'un, Ezra Pound, qui succomba à la fascination totalitaire. Mais il est révélateur qu'il ait choisi d'être le panégyriste du moins brutal de tous les dictateurs brutaux de ce siècle : Mussolini. Et contrairement à d'autres écrivains européens et latino-américains, Pound n'a obtenu, suite à son apostasie, ni décorations ni funérailles nationales, mais il a été enfermé, pendant des années, dans un asile d'aliénés. Ce fut terrible, mais sans doute mieux que de se complaire à barboter dans la boue comme Aragon. L'indifférence des Nord-Américains n'est pas réprouvable en soi ; elle le devient lorsqu'elle débouche sur la paranoïa des conservateurs ou sur l'ingénuité proche de la complicité chez les libéraux. Ce sont deux manières d'ignorer l'existence des autres : en faire des diables ou des héros de contes de fées. La méfiance des intellectuels nord-américains envers les passions idéologiques est compréhensible, mais il ne l'est pas d'ignorer que ces passions ont ébranlé plusieurs générations d'intellectuels européens et latino-américains, parmi lesquels figurent quelques-uns des meilleurs et des plus généreux. Pour pouvoir les comprendre, ainsi que l'histoire contemporaine, il faut d'abord comprendre ces passions.

Quand on évoque le caractère des citoyens nord-américains, on voit presque toujours apparaître le mot *ingénuité*. Eux-mêmes, d'ailleurs, attribuent une valeur spéciale au terme *innocence*. L'ingénuité n'est pas une caractéristique en accord avec l'introspection pessimiste des puritains. Pourtant, les deux traits cohabitent chez eux. Peut-être l'introspection leur sert-elle à se voir eux-mêmes et à découvrir, dans leur for intérieur, les traces de Dieu ou du démon ; de son côté, l'ingénuité est leur façon de se présenter devant les autres et d'entrer en relation avec eux. L'ingénuité est une apparence d'ignorance. Ou plutôt, c'est un habillement. Ainsi, le manque de défense chez l'ingénu est une arme psychologique qui le préserve de la contamination d'autrui et qui, en l'isolant, lui permet de se replier et de contre-attaquer. L'ingénuité des intellectuels nord-américains face aux grands débats idéologiques de notre siècle a rempli cette double fonction. D'abord, elle les a empêchés de verser dans les égarements et les perversions où sont tombés les Européens et les Latino-Américains ; ensuite, elle leur a permis de les juger et de les condamner — sans les comprendre. Tous, conservateurs comme libéraux, ont remplacé la vision historique par le jugement d'ordre moral. Certes, il ne peut exister une vision de l'autre, c'est-à-dire une vision de l'histoire, sans une morale. Mais la morale ne peut se substituer à la véritable vision historique. A plus forte raison si cette morale est un puritanisme provincial, un mélange à doses variables, mais toujours fortes, de pragmatisme, d'empirisme et de positivisme.

Pour mieux faire comprendre en quoi consiste la substitution de la vision historique par la morale, je dois de nouveau me référer aux origines des Etats-Unis. Dans l'Antiquité, la morale privée était inséparable de la morale publique. Chez les classiques de la philosophie grecque, Platon et Aristote, il y avait une intime union entre la métaphysique, la politique et la morale : les fins individuelles les plus élevées — l'amour, l'amitié, la connaissance, la contemplation — étaient indissociables de la *polis*. Il en allait de même chez les grands penseurs de Rome ; je rappelle pour mémoire les noms de Cicéron, de Sénèque et, surtout, de Marc Aurèle. Pourtant, la séparation entre morale et politique (nous dirions aujourd'hui : entre morale et histoire) avait déjà débuté dans l'Antiquité. Pour beaucoup d'écoles philosophiques, à commencer par les épicuriens et les

58

sceptiques, la morale est devenue de plus en plus un sujet privé. Mais cette indifférence envers la vie publique n'a jamais revêtu ces formes négatives de l'action politique que sont la désobéissance civile ou la rébellion passive. La morale épicurienne n'a pas débouché sur une politique. Le scepticisme non plus : bien que Pyrrhon n'affirmât rien, pas même sa propre existence, ses doutes ne l'empêchaient pas d'obéir aux lois et aux autorités de la cité. La rupture entre la morale privée et la politique s'est consommée avec le christianisme, mais c'était pour que la première se transformât également en domaine collectif : celui de l'Eglise. Ensuite, avec la Réforme, l'expérience morale la plus profonde, c'est-à-dire l'expérience religieuse, devient purement intime : c'est le dialogue de la créature avec elle-même et avec son Dieu. Comme je l'ai dit plus haut, la grande nouveauté historique des Etats-Unis réside d'abord dans le fait d'avoir sécularisé et généralisé la relation intime du chrétien avec Dieu et avec sa conscience ; ensuite, et c'est peut-être le point essentiel, dans le fait d'avoir inversé la relation : soumettre le domaine public au privé.

Les antécédents de ce grand changement se trouvent déjà aux XVIIᵉ et XVIIIᵉ siècles, chez des penseurs comme Locke et Rousseau, qui considéraient le pacte social des origines comme le fondement de la société et de l'Etat. Mais chez eux, l'idée du contrat social apparaît *face* à une société déjà constituée et se présente ainsi comme une critique d'un ordre établi. Locke, par exemple, se propose de réfuter la doctrine où se fonde la royauté de droit divin ; de son côté, Rousseau conçoit le pacte social comme un acte antérieur à l'histoire et défiguré par celle-ci à travers la propriété privée et l'inégalité. Dans la fondation des Etats-Unis, ces idées sont l'objet d'un changement radical. Les termes sont intervertis : le contrat social n'est plus avant l'histoire, mais se transforme en projet. Autrement dit, il n'est plus seulement le passé, mais un programme dont le champ d'application est le futur. De la même façon, l'espace où se concrétise le contrat n'est pas une terre dotée d'une histoire, mais un continent vierge. La naissance des Etats-Unis a représenté le triomphe du contrat volontaire sur la fatalité historique, celui des fins privées sur les finalités collectives et la victoire du futur sur le passé.

Jadis, on concevait l'histoire comme une action collective — une geste — destinée à réaliser une fin qui transcendait les individus et la société même. La société reliait ses actes à une fin extérieure à elle et son histoire trouvait un sens et une justification dans une métahistoire. Les dépositaires de ces fins étaient l'Etat et l'Eglise. L'Age Moderne voit l'action de la société changer de nature et de sens. Les Etats-Unis sont l'expression la plus complète et la plus pure de ce changement ; c'est pourquoi il n'est pas exagéré de dire qu'ils constituent l'archétype de la modernité. Les fins de la société nord-américaine ne se situent pas au-delà d'elle-même, pas plus que dans une métahistoire : elles *sont* en elle-même et ne se peuvent définir que dans les termes de la conscience individuelle. En quoi consistent ces termes ? Je l'ai déjà dit : avant toute chose et essentiellement, dans la relation de l'individu avec Dieu et avec lui-même, et, d'une manière subsidiaire, avec les autres, ses concitoyens. Dans la société primitive, le moi n'existe qu'en tant que fragment du grand tout social ; dans la société nord-américaine, le tout social est une projection des consciences et des volontés individuelles. Cette projection n'est jamais géométrique : l'image qu'elle nous offre est celle d'une réalité contradictoire et en perpétuel mouvement. Les deux facteurs, contradiction et mouvement, expriment la vitalité extraordinaire de la démocratie nord-américaine et son immense dynamisme. En même temps, ces deux facteurs présentent des dangers : la contradiction, si elle est excessive, peut paralyser le pays face à l'extérieur ; le dynamisme peut dégénérer en course sans but. Les deux dangers sont visibles dans la conjoncture actuelle.

Dans la perspective de cette évolution, il est plus facile de comprendre la tendance des intellectuels nord-américains à remplacer la vision historique par le jugement moral ou, pis encore, par des considérations pragmatiques et circonstancielles. Moralisme et empirisme sont deux formes jumelles d'incompréhension de l'histoire. L'un et l'autre correspondent à l'isolationnisme fondamental de la mentalité nord-américaine, qui est à son tour la conséquence naturelle du projet de fondation du pays : construire une société à l'abri des horreurs et des accidents de l'histoire universelle. L'isolationnisme en soi ne peut pas permettre d'élaborer une politique internationale. Cette observation peut s'appliquer aussi bien aux libéraux qu'aux conservateurs. On sait que la signification de ces deux termes n'est pas la même aux Etats-Unis qu'en Europe et en Amérique latine. Le libéral nord-américain est partisan de l'intervention de l'Etat dans l'économie et ceci le rapproche, plus que des libéraux européens et latino-américains, de la social-démocratie ; le conservateur nord-américain est un ennemi de l'intervention de l'Etat aussi bien en économie que dans le domaine de l'éducation, une attitude qui n'est pas très éloignée de celle de nos libéraux. Or, en matière internationale, les positions des libéraux et des conservateurs sont interchangeables : les uns comme les autres passent rapidement de l'isolationnisme le plus passif à l'interventionnisme le plus décidé, sans que ces changements modifient substantiellement leur vision du monde extérieur. Ainsi, il n'est pas étrange que, malgré leurs différences, les libéraux et les conservateurs se soient montrés, tour à tour, interventionnistes et isolationnistes.

Ma description des attitudes des intellectuels nord-américains est, je ne le nie pas, très incomplète. Je n'ignore pas davantage l'existence de courants plus analogues à la tradition de l'Europe continentale et moins touchés par ce qu'il ne faut pas craindre d'appeler l'excentricité anglo-saxonne. Ainsi, dans un passé récent, quelques écrivains marqués par T.S. Eliot — ceux qu'on peut appeler les Fugitifs — cherchèrent dans un Sud mythique un ordre de civilisation qui, dans le fond, n'était qu'une transplantation de la société européenne préindustrielle. C'était un rêve plus qu'une réalité, mais un rêve qui rompait la solitude historique des Etats-Unis et réunissait ces écrivains nostalgiques avec l'histoire européenne. Mû par un désir semblable, quoique dans un tout autre sens, un groupe d'intellectuels new-yorkais fonda la *Partisan Review* (1934). Cette revue passa du communisme au trotskysme et de celui-ci à une vision plus large, vivante et moderne de la réalité contemporaine. A travers tous ces changements, *Partisan Review* n'oublia pas la relation primordiale entre histoire et littérature, politique et morale. Par leurs préoccupations et leur style intellectuel, les éditeurs et collaborateurs de *Partisan Review* étaient plus proches des écrivains européens de cette période — je pense surtout à Camus, Sartre et Merleau-Ponty —, que de leurs contemporains nord-américains. De nos jours, on peut en dire autant d'autres écrivains et de personnalités isolées, comme Susan Sontag. Pourtant, aussi remarquables qu'aient pu être ou que soient leurs contributions, aucun d'eux n'appartient à la tradition centrale.

Voici une dizaine d'années, le philosophe John Rawls publia un livre, *A Theory of Justice* (1971), que les connaisseurs jugent remarquable. Le livre, en effet, surprend par sa rigueur et son élévation morale, dans la meilleure tradition de Kant : clarté rationnelle et pureté de cœur. Je cite cette œuvre parce que, vu justement son éminence, c'est le meilleur exemple du détachement des Nord-Américains envers l'histoire. Rawls se proposa de «généraliser et de porter à un degré d'abstraction plus élevé la théorie traditionnelle du contrat social, telle que l'exprimèrent Locke, Rousseau et Kant». Le livre contient certains chapitres passionnants sur des thèmes comme la légitimité de la désobéissance civile, l'envie et l'égalité, la justice et l'équité ; il conclut sur une affirmation duelle de la liberté et de la justice : elles sont inséparables. Rawls a élaboré une philosophie morale fondée sur la libre association des hommes, mais il admet que la vertu de justice ne peut se déployer que dans une *société bien organisée*. Il ne nous dit pas comment on peut l'atteindre ni en quoi elle consiste. Or, une société bien organisée ne peut être qu'une société juste. Outre le caractère circulaire de l'argument, ce qui m'inquiète le plus, c'est l'indifférence de l'auteur, si rigoureux lorsqu'il manie les concepts et les signifiés, devant cette réalité terrible de cinq mille ans d'histoire.

Une théorie de la justice est un livre de philosophie morale qui laisse de côté la politique et n'examine pas la relation entre morale et histoire. Il se situe ainsi à l'extrême opposé de la pensée politique européenne. Pour le vérifier, il suffit de rappeler les noms d'écrivains aussi différents que Max Weber, Croce, Ortega y Gasset, Hanna Arendt, Camus, Sartre, Cioran. Tous ces écrivains ont vécu (ou vivent) la scission entre morale et histoire ; certains ont essayé d'insérer la morale dans l'histoire ou de déduire de celle-ci les fondements d'une morale possible. Les marxistes eux-mêmes — Trotsky, Gramsci, Victor Serge — eurent conscience de cette rupture et tentèrent de la justifier ou de la transcender d'une façon ou d'une autre. La leçon d'un de ces penseurs, Simone Weil, fut particulièrement précieuse, car elle montra que la nécessité historique ne peut se substituer à la morale et que celle-ci se fonde sur la liberté de conscience ; en même temps, par sa vie et par son œuvre, Simone Weil nous enseigna que la morale ne peut se dissocier de l'histoire. La blessure de l'Occident a été la séparation entre la morale et l'histoire ; aux Etats-Unis, cette division a adopté deux expressions parallèles : d'un côté, l'empirisme et, de l'autre, les abstractions morales. Rien de tout cela ne peut s'opposer efficacement à la lèpre moderne : la confiscation de la morale, dans les pays communistes et beaucoup d'autres nations, par une pseudo-nécessité historique. Le secret de la résurrection des démocraties — et ainsi de la véritable civilisation — réside dans le rétablissement du dialogue entre la morale et l'histoire. Voilà la tâche de notre génération et de la suivante.

De tous les peuples de la terre, les Etats-Unis furent les premiers à entrer de plain-pied dans la modernité. Les intellectuels nord-américains sont le fer de lance de ce mouvement. La tradition que j'ai très sommairement décrite est en bonne partie leur œuvre ; parallèlement, ils sont eux-mêmes un des résultats de cette tradition. Les deux missions de l'intellectuel moderne sont, en premier lieu, de chercher, de créer et de transmettre des connaissances, des valeurs et des expériences ; en second lieu, d'entreprendre la critique de la société et de ses usages, de ses institutions et de sa politique. Cette deuxième fonction, héritée des clercs du Moyen Age, est devenue de plus en plus importante à partir du XVIIIe siècle. Nous connaissons tous l'apport des Nord-Américains dans le domaine des sciences comme dans ceux de la littérature, des arts et de l'éducation ; en outre, ils se sont montrés courageux et probes dans la critique de leur société et de ses défauts. La liberté de critique et d'autocritique a été déterminante aussi bien dans le passé des Etats-Unis que dans leur grandeur présente. Les intellectuels ont été fidèles à la tradition qui a fondé leur pays, où l'examen de conscience occupe une position centrale. Or, en accentuant la séparation, cette tradition puritaine est à la fois antihistorique et isolationniste. Quand les Etats-Unis quittent leur isolement pour participer aux affaires de ce monde, ils y viennent comme un croyant en terre d'infidèles.

Les écrivains et les journalistes nord-américains témoignent d'une curiosité insatiable et sont très bien informés sur l'actualité, mais, au lieu de comprendre, ils jugent. Il faut dire à leur honneur qu'ils réservent leurs jugements les plus acerbes pour leurs compatriotes et leurs gouvernements. C'est admirable et, pourtant, insuffisant. A l'époque de l'intervention de leur pays en Indochine, ils dénoncèrent justement la politique de Washington, mais cette critique, quasi exclusivement d'ordre moral, omettait généralement l'examen de la nature du conflit. Les critiques visaient davantage à condamner Johnson qu'à essayer de comprendre comment et pourquoi il y avait des troupes américaines en Indochine. Beaucoup ont dit que ce conflit « n'était pas le leur », comme si les Etats-Unis n'étaient pas une puissance mondiale et comme si la guerre d'Indochine ne représentait qu'un épisode local. L'isolationnisme a été, alternativement, une arme idéologique des conservateurs et des libéraux. A l'époque du second Roosevelt, il fut utilisé par le premier parti et, aujourd'hui, il l'est par le deuxième. La morale ne peut se substituer à la compréhension historique et c'est pourquoi beaucoup de libéraux furent très surpris par le dénouement du conflit : l'installation de la dictature bureaucratico-militaire au Viêt-nam, les massacres de Pol Pot, l'occupation du Cambodge et du Laos par les troupes vietnamiennes, l'expédition punitive des Chinois et, dernièrement, les hostilités entre le Viêt-nam et la Thaïlande. Aujourd'hui, à propos de l'Amérique centrale, les libéraux répètent les mêmes niaiseries... L'attitude moraliste, outre qu'elle n'est pas toujours sincère — c'est souvent un masque —, ne nous aide pas à comprendre la réalité étrangère. Pas plus que l'empirisme ni le cynisme de la force. Dans la sphère de la politique, la morale doit s'accompagner d'autres vertus. Et, parmi celles-ci, la vertu centrale est l'imagination historique. Ce fut la faculté de Vico et de Machiavel, de Montesquieu et de Tocqueville. Cette faculté intellectuelle trouve sa contrepartie dans la sensibilité : la sympathie pour l'autre et les autres.

L'image des Etats-Unis n'est guère tranquillisante. Le pays est désuni, déchiré par des polémiques sans grandeur, corrodé par le doute, miné par un hédonisme suicidaire et étourdi par les vociférations des démagogues. Société divisée, non pas tant verticalement qu'horizontalement, par le choc d'intérêts énormes et égoïstes : les grandes compagnies, les syndicats, les *farmers*, les banquiers, les groupes ethniques, la puissante industrie de l'information. L'image de Hobbes devient palpable : tous contre tous. Le remède serait de retrouver l'unité d'intention, sans laquelle il n'existe pas de possibilité d'action. Mais comment ? La grande maladie des démocraties est la désunion, mère de la démagogie. L'autre chemin, celui de la santé publique, passe par l'examen de conscience et l'autocritique : retour aux origines, aux fondements de la nation. Dans le cas des Etats-Unis, il s'agirait d'un retour à la vision des fondateurs. Non pour les répéter, mais pour recommencer. Je veux dire : non pas les imiter, mais, tout comme eux, *commencer à nouveau*. Ces commencements sont, à la fois, des purifications et des mutations : avec eux, commence toujours autre chose. Les Etats-Unis naquirent avec la modernité et maintenant, pour survivre, ils doivent affronter les désastres de la modernité. Notre époque est atroce, mais les peuples des démocraties occidentales, les Etats-Unis en tête, anesthésiés par près d'un demi-siècle de prospérité, s'obstinent à ne pas voir la grande tache qui s'étend sur la planète. Sous le masque d'idéologies pseudo-modernes, notre siècle voit revenir à lui de vieilles et terribles réalités que le culte du progrès et l'optimisme imbécile de l'abondance croyaient enterrées à tout jamais. Nous vivons un véritable *Retour* des temps. Voici plus d'un siècle, devant une situation moins menaçante que celle d'aujourd'hui, Melville écrivit quelques lignes que les Nord-Américains devraient relire et méditer :

When ocean-clouds over inland hills
Sweep storming in late automn brown,
And horror the sodden valley fills,
And the spire falls crashing in the town,
I muse upon my country's ills —
The tempest bursting from the waste of Time
On the world's fairest hope linked with man's foulest
   crime.
Nature's dark side is heeded now[1]...

---

1. « Quand les nuages de l'océan survolent les hautes terres/ L'orage déferle dans la rousseur tardive de l'automne,/Quand l'horreur sature la vallée inondée/Et qu'avec fracas la tour s'écroule dans la ville,/Je songe aux maux de mon pays./De la stérile immensité du Temps, voici la tempête qui s'abat/Sur le plus pur espoir du monde allié au crime le plus noir./De la Nature la part de ténèbres est désormais alertée... » (Herman Melville, *Collected poems*, éd. H.P. Vincent, Chicago, 1947.) *(N.d.T.)*

CHAPITRE III

U.R.S.S. :
L'empire totalitaire

Les troupeaux de Polyphème

Depuis sa naissance en 1917, on discute sur la véritable nature historique de l'Union soviétique. Les mencheviks et les marxistes européens, surtout allemands et autrichiens, furent les premiers à se demander si le nouveau régime était réellement une « dictature du prolétariat », dans le sens que Marx et Engels donnaient à cette expression. De leur côté, les anarchistes dénoncèrent immédiatement le régime comme une dictature capitaliste étatique. Lénine et Trotsky n'ont jamais dit, contrairement aux affirmations ultérieures de Staline, que l'Union soviétique était un pays socialiste. Pour Lénine, il s'agissait d'un régime de transition : le prolétariat avait pris le pouvoir et préparait les bases du socialisme. Lénine, Trotsky et les autres bolcheviks espéraient que la révolution ouvrière européenne, surtout en Allemagne, accomplirait enfin la prophétie de Marx et Engels : le socialisme naîtrait dans les pays industriels occidentaux les plus avancés, là où la classe ouvrière avait connu une longue tradition de luttes démocratiques. Cependant, dès 1920, dans un discours où il critiquait Trotsky avec véhémence, Lénine déclarait ceci : « Le camarade Trotsky parle d'un Etat ouvrier. C'est une abstraction ! Il était normal de parler d'un Etat ouvrier en 1917... Mais aujourd'hui, notre Etat présenterait plutôt une déformation bureaucratique. Voilà la triste étiquette que nous devons lui accoler... Devant un tel Etat, le prolétariat doit se défendre... » Ces paroles, soixante ans plus tard, après les grèves et les répressions en Hongrie, en Tchécoslovaquie et en Pologne, ont une résonance lugubre.

Par la suite, Trotsky a accepté la critique de Lénine et l'a reprise à son compte. En 1936, en pleine lutte contre Staline et sa théorie du « socialisme dans un seul pays » — une incongruité dans la perspective du marxisme authentique, mais qui a été répétée par des milliers d'intellectuels soi-disant marxistes — Trotsky publie *La révolution trahie*. Ce fut la première tentative sérieuse pour déchiffrer la véritable nature de ce nouvel animal historique : l'Etat soviétique. Pour Trotsky, il s'agissait d'« une société intermédiaire entre le capitalisme et le socialisme », dans laquelle « la bureaucratie s'est transformée en caste incontrôlée, étrangère au socialisme ». Trotsky pensait que les luttes sociales résoudraient dans un sens ou dans l'autre l'ambiguïté de l'Etat ouvrier dégénéré : ou bien le capitalisme serait restauré par la bureaucratie, ou bien la bureaucratie serait renversée par le prolétariat qui instaurerait le socialisme. Ainsi, il se refusait à admettre la prolongation de la domination bureaucratique *sans* rechute dans le capitalisme. Pourtant, un peu plus tard, dans sa polémique avec Max Schachtman et James Burnham (1937-1940), il admettait, à contrecœur, que la situation pût se prolonger ; dans ce cas, pensait-il, la bureaucratie pourrait devenir une nouvelle classe d'oppresseurs et instituer un nouveau régime d'exploitation. Non sans raison, il comparait cette éventualité à l'avènement des siècles obscurs à la fin du monde antique[1].

En 1939, un marxiste italien, Bruno Rizzi, publia *La*

1. Cf. L'édition française du livre de Trotsky, *Défense du marxisme*, 1976.

bureaucratisation du monde, un livre peu cité, mais souvent plagié. Sous une forme embryonnaire, plus intuitive que scientifique, Rizzi postule pour la première fois, non plus comme une possibilité lointaine mais comme une réalité visible dans la Russie de Staline et l'Allemagne hitlérienne, l'idée d'un nouveau régime qui succéderait au capitalisme et à la démocratie bourgeoise : le collectivisme bureaucratique. Cette hypothèse a fait son chemin : James Burnham l'a adoptée et, plus tard, d'une façon indépendante, Milovan Djilas l'a découverte et développée dans *The New Class* (1957). Les essais de Kostas Papaioannou, publiés dans *Le Contrat social* et d'autres revues, sont moins empiriques que ceux de Rizzi et de Djilas ; ils furent écrits dans la grande tradition de l'historiographie moderne et représentent une contribution remarquable à l'étude de la genèse de la nouvelle classe. Dans son livre sur la société postindustrielle, Daniel Bell a consacré à ce thème des pages pénétrantes et éclairantes. Les études historiques de François Fejtö sont également précieuses. Dans le domaine de la réflexion philosophique sur la nature du communisme, il faut mentionner les travaux capitaux de Leszek Kolakowski ; dans le champ de la sociologie historique et politique, les analyses de Raymond Aron ont déblayé le terrain et nous ont tous éclairés. D'autres auteurs — Wittfogel, Naville, Bettelheim — se sont penchés sur les particularités des structures économiques soviétiques : s'agit-il d'un capitalisme d'Etat, d'un monopole bureaucratique ou d'un mode de production asiatique ?

Pour Hannah Arendt et, plus récemment, pour Claude Lefort, la véritable nouveauté est d'ordre politique : l'histoire n'avait jamais rien connu de semblable au système totalitaire moderne. En effet, les seuls exemples sont des sociétés aussi lointaines que l'Egypte pharaonique et, surtout, l'Empire chinois. Les études d'Etienne Balázs (*La bureaucratie céleste*, 1968) nous éclairent doublement : d'une part, la domination prolongée des mandarins montre que le régime bureaucratique, contrairement à ce que pensait Trotsky, n'est pas transitoire et qu'il peut durer non pas des décennies, mais des siècles, voire des millénaires ; d'autre part, les différences entre l'Empire chinois et l'Union soviétique sont énormes et presque toutes à l'avantage du premier. Alain Besançon détache la fonction privilégiée de l'idéologie à l'intérieur du système — c'est une réalité illusoire, mais plus réelle que l'humble réalité quotidienne — et propose qu'on appelle ce système *idéocratie*. Cornelius Castoriadis souligne la nature duelle du capitalisme bureaucratique : c'est une société de castes dominée par une bureaucratie idéologique et, en même temps, une société militaire. D'après Castoriadis, la Russie est passée du régime de domination du parti communiste à un autre système où les réalités et considérations militaires sont prédominantes. C'est pourquoi il nomme cette société *stratocratie*[1].

On pourrait prolonger la liste des interprétations et des dénominations mais, en vérité, la querelle taxinomique repose sur un accord. Aucun auteur sérieux ne soutient plus aujourd'hui, dans les années 1980, l'idée que l'Union soviétique est un pays socialiste. Pas plus qu'un Etat ouvrier déformé par l'excroissance bureau-

1. Comme on le voit par ce rapide tour d'horizon, le thème est inépuisable et suscite sans cesse de nouvelles réflexions. Alors que je me disposais justement à envoyer ces pages à l'imprimerie, j'ai reçu le livre d'Edgar Morin : *De la nature de l'U.R.S.S.* (1983). Morin voit le totalitarisme russe comme un système de dominations superposées, l'une englobant l'autre à la façon des « boîtes chinoises » ou des « poupées russes » : l'Etat confisque la société civile, le Parti l'Etat, le Comité politique le Parti, et l'Appareil (le Secrétariat) confisque le Comité. Au sommet, la domination est duelle : la Police surveille l'Appareil et l'Appareil contrôle la Police. L'Appareil n'est pas exactement la bureaucratie : ce n'est pas une classe *à l'intérieur*, mais *au-dessus* de l'Etat. Or, en confisquant la nation, l'Appareil s'est approprié le nationalisme et l'impérialisme russes. Ainsi, d'une part, l'U.R.S.S. est un totalitarisme et, de l'autre, sans qu'il y ait contradiction, un impérialisme.

cratique, comme le croyaient Lénine et Trotsky. Si nous pensons en termes d'institutions et de réalités politiques, c'est un despotisme totalitaire ; si nous nous arrêtons aux structures économiques, c'est un vaste monopole d'Etat avec des formes particulières dans la transmission de l'usage, de la jouissance et de la possession des biens et des richesses (il ne s'agit plus de titres de propriété, mais de cet équivalent des actions dans les sociétés anonymes capitalistes qui consiste à figurer sur les listes de la *Nomenklatura* (Voslensky) ou à posséder une carte du Parti communiste russe) ; enfin, si nous nous penchons sur les divisions sociales, c'est une société hiérarchique très peu mobile, où les classes tendent à se pétrifier en castes, une société dominée par une nouvelle catégorie en même temps idéologique et militaire : *idéocratie* et *stratocratie* tout à la fois. Cette dernière description est particulièrement fondée : l'Union soviétique est une société construite à l'image et à la ressemblance du parti communiste. Or, le double modèle du parti bolchevique a été l'Eglise et l'Armée : ses membres sont des clercs et des soldats ; leur idéal de communauté, le couvent et la caserne. Le ciment qui unit l'ordre religieux et l'ordre militaire est l'idéologie.

Sous son apparence d'énorme bloc de glace et de fer, l'Union soviétique doit faire face à des contradictions bien plus profondes que celles de l'Union américaine. La première est fondamentale et s'inscrit dans sa nature même : la Russie est une société hiérarchique de castes en même temps qu'une société industrielle. D'une part, elle est condamnée à l'immobilisme ; de l'autre, au changement. La mobilité sociale est presque nulle, mais les transformations industrielles, surtout dans les domaines de l'industrie lourde et de la technologie militaire, sont remarquables. Ce sont les choses qui changent en Russie, non les hommes. D'où le coût immense de l'industrialisation, en vies et en travail humain. L'inhumanité de l'industrie, trait présent dans toutes les sociétés modernes, s'accentue en U.R.S.S. du fait que la production n'est pas d'abord destinée à satisfaire les besoins de la population, mais bien la politique de l'Etat. Ce qu'il y a de plus réel — les hommes — est au service d'une abstraction idéologique. Voilà une forme d'aliénation que Marx n'avait pas prévue.

D'une part, donc, fossilisation sociale et politique ; de l'autre, rénovation continuelle dans les domaines de la technique et de l'industrie. Cette contradiction, source d'injustice et d'inégalité, provoque des tensions que l'Etat étouffe avec les méthodes habituelles des dictatures : le renforcement de l'appareil répressif et une politique d'expansion extérieure. Empire et police : ces deux mots font la preuve que, malgré les différences considérables qui les séparent, il y a une continuité historique certaine entre l'Etat bureaucratique et le tsarisme. Mû par une idéologie non moins expansionniste que l'ancien messianisme panslave, l'Etat russe a créé une puissante machine de guerre alimentée par une gigantesque industrie militaire. Parmi toutes les inégalités dont souffre cette société, peut-être la plus impressionnante est-elle la disproportion entre le niveau de vie de la population — assez bas, même si on le compare à celui des Tchèques, des Hongrois et des Polonais — et l'énorme puissance militaire de l'Etat. Ainsi, deux définitions de l'Union soviétique, en apparence opposées, s'avèrent exactes : celle du poète Hans Magnus Enzensberger, qui voit dans « le socialisme réel » l'étape la plus avancée du sous-développement, et celle de Castoriadis, qui définit l'U.R.S.S. comme une stratocratie. Dans une parfaite ignorance du passé récent, on a recommencé à discuter dans les cafés et les universités d'Occident la question de savoir si la Russie est ou non socialiste. Engels avait résolu le problème à l'avance en appelant le capitalisme d'Etat de Bismarck : « socialisme de caserne ».

Bien que l'on trouve en abondance, depuis 1920, des livres et des informations sur la vraie réalité de la Russie, beaucoup de gens en Occident et en Amérique latine — spécialement les intellectuels, mais aussi un nombre non négligeable de politiciens libéraux et conservateurs, de bourgeois progressistes, de clercs et de chrétiens de gauche — ont préféré, durant de longues années, ne pas se tenir au courant. Le rapport de Khrouchtchev a fait sauter le couvercle. Un peu plus tard sont apparus les premiers textes des dissidents. Dès lors, il n'était plus possible de feindre l'ignorance. Plus heureux que Pascal dans sa polémique avec les jésuites, Soljénitsyne est parvenu à émouvoir le monde. Son influence a été telle qu'il a même converti les cénacles philosophico-littéraires de Paris. En moins de cinq ans, nous avons assisté à l'abandon progressif des variétés de scolastique marxiste qui dominaient les universités européennes. Même les « précieuses ridicules » ne citent plus les *Grundrisse* et *Das Kapital*. Et pourtant, aussi grande qu'ait été à l'extérieur l'influence des dissidents — russes, polonais, tchèques, roumains, hongrois, cubains — leurs possibilités d'action au sein de leurs pays sont extrêmement limitées. Les dissidents ont montré l'abîme qui sépare la vraie réalité de la réalité idéologique ; leurs descriptions ont été exactes, mais leurs diagnostics l'ont été moins et leurs remèdes sont inopérants.

S'il n'est pas facile de savoir quelle sera l'évolution de la société russe, on peut prévoir que la contradiction que j'ai sommairement décrite va s'accentuer de plus en plus dans le futur immédiat et qu'elle s'aggravera aussitôt qu'aura disparu la génération de septuagénaires qui dirige aujourd'hui le Kremlin. Les dissidents intellectuels connus en Occident ne sont qu'une manifestation politique et religieuse de la contradiction fondamentale. Quiconque a eu accès à la vie intellectuelle russe dans les universités et les centres scientifiques — et on peut en dire autant des pays satellites — a découvert sur-le-champ que l'idéologie officielle, le marxisme-léninisme, s'est transformée en catéchisme que tout le monde récite, mais auquel personne ne croit. L'érosion de l'orthodoxie étatique est un aspect du divorce entre la réalité et l'idéologie ; d'autres manifestations de cette contradiction sont l'inquiétante réapparition du pan-slavisme, la nostalgie de l'autocratie tsariste, l'antisémi-tisme et le nationalisme grand-russe. Le passé de la Russie est vivant et revient.

Plus profondes encore que ces tendances idéolo-giques, on voit percer d'autres aspirations qui, jusqu'ici, n'ont pas réussi à s'exprimer, mais qui sont à la fois plus vastes et plus concrètes que celles des intellec-tuels. Ainsi, par exemple, tous les voyageurs ont observé l'avidité manifestée par la population urbaine dans l'adoption des modes de vie occidentaux, surtout nord-américains. Il n'est pas exagéré de parler d'une « améri-canisation » de la jeunesse des grandes villes. La fas-cination exercée par la société occidentale ne se limite pas à l'imitation de ses manifestations les plus lamenta-bles comme la course à la consommation. A peine est-il nécessaire de rappeler que les travailleurs russes sont privés des droits syndicaux fondamentaux, qu'ils soient de grève, d'association, de réunion ou de libre affiliation. Est-il possible de créer un puissant Etat industriel avec un prolétariat passif et démoralisé, dont l'unique forme de lutte est l'alcoolisme, la paresse ou le sabotage ? Comment le régime russe fossilisé fera-t-il face à la double exigence de ceux qui réclament plus de liberté (les intellectuels) et de ceux qui demandent un surcroît et une amélioration des biens de consommation (le peu-ple) ?

La révolte des ouvriers polonais est destinée à avoir une énorme influence aussi bien en Russie que dans les pays satellites. Peu importe que l'armée polonaise ait écrasé la révolte dans ce pays : depuis le soulèvement de Cronstadt, réprimé par Lénine et Trotsky en 1921, la chaîne des insurrections et des émeutes populaires contre les bureaucraties communistes ne s'est jamais interrompue. Nous ne savons rien des agitations à l'intérieur de la Russie même — bien que les récits de Soljénitsyne et d'autres dissidents aient un peu dissipé notre ignorance — mais les événements de Hongrie, de Tchécoslovaquie et de Pologne sont dans l'esprit de chacun, tout comme la fuite des cent mille Cubains de Puerto Mariel.

Outre cette contradiction interne, le système bureaucratique russe doit faire face à une autre contradiction qu'il convient d'appeler extérieure, même si elle se manifeste à l'intérieur de ses frontières. Tout comme les Etats-Unis, l'Union soviétique est un conglomérat de groupes ethniques. Mais la comparaison s'arrête là. La population des Etats-Unis est composée d'immigrants (excepté les Peaux-Rouges et une petite partie de la population de souche mexicaine) qui furent soumis à ce système d'intégration et d'assimilation qu'on appelle *melting-pot*. L'expérience a fait ses preuves : les Etats-Unis sont un pays présentant des traits propres et une forte originalité. Il est vrai que le *melting-pot* a exclu les Noirs, les Chicanos et d'autres ; en outre, il n'a pas dissous les caractéristiques nationales de chaque groupe. Pourtant, il est clair que le processus d'unification et d'intégration est très avancé et irréversible. Tous les citoyens nord-américains, y compris les plus discriminés, sont conscients d'appartenir au même pays, de parler la même langue et, dans leur écrasante majorité, de professer la même religion.

L'expansion impériale des Tsars a occupé militairement de nombreux territoires et soumis leurs populations. Bien que la situation ait changé, les nations n'ont pas disparu ; l'U.R.S.S. est un ensemble de peuples différents, chacun d'eux possédant sa langue, sa culture et sa religion. A l'intérieur de ce conglomérat, la Russie proprement dite (la République Socialiste Fédérative Soviétique Russe) domine les autres. Ainsi, du point de vue des nationalités, deux traits caractérisent l'Union soviétique : l'hétérogénéité et la domination. L'U.R.S.S. est un empire dans l'acception classique du terme : un ensemble de nations dispersées, sans relation entre elles — chacune avec sa langue, sa culture et ses traditions propres — et soumises à un pouvoir central.

On sait que les tensions nationales à l'intérieur de l'empire russe sont permanentes. Malgré les persécutions, le nationalisme des Ukrainiens est encore vivace ; on peut en dire autant des Baltes, des Tartares et des autres nations. D'après l'écrivain français Hélène Carrère d'Encausse (*L'empire éclaté*, 1979), les contradictions nationales en Union soviétique sont destinées à jouer un rôle encore plus déterminant que les contradictions sociales et idéologiques. Il est possible qu'elle ait raison : l'histoire du XXe siècle n'a pas été celle de la lutte des classes, mais bien des nationalismes militants. Le cas des nations soviétiques professant la foi mahométane présente une signification particulière. Ces peuples ont conservé leur identité nationale et culturelle ; leur croissance démographique a été extraordinaire et, d'ici quelques années, ils formeront les deux cinquièmes de la population soviétique. Or, la renaissance de l'Islam, religion belligérante, est un fait qui a marqué notre époque ; il est impossible que cela s'arrête aux portes de l'U.R.S.S. L'Etat bureaucratique russe n'est parvenu à résoudre ni la question nationale ni la question religieuse, deux points qui n'en sont qu'un seul dans la tradition islamique. Dans un avenir relativement proche, le gouvernement de Moscou devra faire face, à l'intérieur de ses frontières, au triple défi de l'Islam : défi religieux, national et culturel.

A l'intérieur de ces deux grandes contradictions — socio-économique, ethnique et religieuse — il s'en multiplie d'autres, d'ordre linguistique, culturel, politique. Jusqu'à ce jour, l'Etat russe a évité l'éclatement par les deux moyens déjà cités : la répression et la déviation vers l'extérieur des conflits internes. La terreur à l'époque de Staline est un phénomène unique dans l'histoire et ne peut être comparée qu'à celle qui fut instaurée par son contemporain et rival Adolf Hitler. Les grands exterminateurs du passé — Gengis Khân, Attila, Tamerlan, les monarques assyriens qui désolèrent l'Asie Mineure avec le *Terror Assyriacus* — sont des figures modestes à côté de ces deux fléaux du XXᵉ siècle. Il est impossible d'évaluer l'influence exercée par la terreur sur la domestication de l'opinion publique russe. Après Staline, il y a eu une période de soulagement : la politique de réformes de Khrouchtchev. Mais elle s'est arrêtée à mi-chemin et a duré peu de temps ; Brejnev l'a rendurcie et le régime russe — sans les excès de Staline — continue d'être un régime policier et despotique. Par ailleurs, il n'est pas facile de le libéraliser sans mettre en péril la caste dominante et ses privilèges. En Russie, il n'existe pas cet espace politique libre — arène où les classes et les groupes s'affrontent, avancent, reculent et pactisent — qui a rendu possibles les victoires ouvrières en Occident depuis plus d'un siècle. A la pression sociale croissante, la *Nomenklatura* — ainsi qu'on appelle la classe privilégiée — oppose une rigidité également croissante. Ainsi, la société vit sous une double menace : la pétrification ou l'éclatement.

Depuis plus de dix ans, le gouvernement soviétique poursuit franchement une politique d'expansion. Ce mouvement, d'une part, est la conséquence des erreurs et des hésitations de la politique extérieure nord-américaine ; de l'autre, c'est la soupape d'échappement des tensions et conflits internes. Dans les prochaines années, devant le caractère insurmontable des contradictions sociales et nationales, le gouvernement russe continuera à chercher une issue dans l'expansion extérieure. Jusqu'ici, l'expansion politique a été accompagnée d'une occupation militaire ou bien, dans des cas comme ceux de la Pologne, de la Tchécoslovaquie, de Cuba et du Viêt-nam, elle a fait dépendre la survie des gouvernements de l'aide militaire russe. L'Union soviétique est revenue à l'ancienne conception de l'impérialisme qui identifiait la domination avec le pouvoir direct sur les territoires, les gouvernements et les populations. Le paradoxe veut que l'U.R.S.S. n'ait besoin ni des territoires ni des richesses naturelles des autres pays (elle a besoin de leur technologie, mais elle l'obtient facilement grâce aux crédits et au commerce avec l'Europe, le Japon et les Etats-Unis). Ainsi, la fonction primordiale de l'expansion soviétique est de transférer à l'extérieur les contradictions internes. En outre, cette idéologie impériale — ou, comme disent les Chinois, ce « chauvinisme » de grande puissance — provient du tsarisme et se combine avec le messianisme marxiste-léniniste.

A ces circonstances, il convient d'en ajouter une autre qui nous a été signalée par Cornelius Castoriadis dans un essai lumineux : *Devant la guerre* (1981). Comme je l'ai indiqué plus haut, l'Union soviétique, pour Castoriadis, s'est transformée en *stratocratie* (*stratos* = armée). Avec l'arme de l'idéologie, la bureaucratie communiste avait imposé la terreur à la société civile ; aujourd'hui, nous savons tous que l'idéologie s'est évaporée, ne laissant comme résidus dans la conscience sociale et dans la pratique que le cynisme, la vénalité et l'hypocrisie. Le vide idéologique a été occupé, nous dit Castoriadis, par les considérations d'ordre militaire et, conséquemment, l'Armée tend de plus en plus à se substituer au Parti. La société militaire est une société *dans* la société russe. Au sens large du mot — c'est-à-dire en tant que complexe technique, scientifique, économique et industriel — « l'Armée est l'unique secteur véritablement moderne de la société russe et le seul qui fonctionne effectivement ». Comme tous les Etats militaires, l'Etat militaire russe ne sait bien faire — ne peut bien faire — qu'une seule chose : la guerre. La différence avec le passé est que les anciens Etats militaires ne disposaient pas d'armes nucléaires.

La relation des Etats-Unis avec leurs amis et leurs clients est devenue critique. Il faut y voir une conséquence à la fois de leurs derniers échecs et du caractère de leur domination. Pour qualifier cette dernière, on use généralement du terme *impérialisme* ; en vérité, le mot *hégémonie* conviendrait mieux. Les dictionnaires définissent l'hégémonie comme la *suprématie* d'un Etat sur d'autres Etats, celle-ci étant entendue comme une « influence prédominante ». L'empire, au contraire, implique la souveraineté non seulement sur les peuples soumis, mais sur les territoires. La domination nord-américaine sur l'Amérique latine a été d'ordre hégémonique : elle ne s'est presque jamais exercée directement, à l'inverse du pouvoir des empires, mais bien à travers l'influence sur les gouvernements. Cette influence, comme on le sait, est différente dans chaque cas et laisse une marge plus ou moins grande de négociation. Bien que les Etats-Unis, à de multiples reprises, n'aient pas hésité à intervenir militairement, ces interventions ont toujours été considérées comme des violations du droit. Au début de leur carrière, il est vrai que les Etats-Unis ont eu recours à l'expansion militaire typiquement impérialiste et qu'ils se sont approprié des territoires mexicains ou qui appartenaient encore à l'Espagne. Mais, depuis le début du siècle, l'hégémonie nord-américaine a eu des objectifs essentiellement économiques et subsidiairement politiques et militaires. Ces dernières années, la situation s'est modifiée : plus d'une fois, les Etats-Unis ont dû accepter en Amérique latine des gouvernements qui ne leur plaisaient guère. D'un côté, le régime de Cuba ; de l'autre, celui du Guatemala. Entre ces deux pôles politiques, une gamme qui va du Nicaragua au Chili.

La situation n'est pas différente sur les autres continents. L'Europe occidentale et le Japon ont bien montré qu'ils sont les associés et non les domestiques de Washington. La politique internationale de la France a été traditionnellement nationaliste et son indépendance face aux Etats-Unis s'est montrée quelquefois pointilleuse. La République fédérale d'Allemagne, depuis le chancelier Brandt, a cherché une voie indépendante. On peut se demander si la politique des gouvernements français et allemands a été prudente ou si, en partie du moins, elle n'a pas été inspirée par un antiaméricanisme qui prospère aussi bien parmi les nationalistes français que chez les socialistes ou les sociaux-démocrates des deux pays. Certains politiciens de droite ont invoqué le précédent du général de Gaulle qui, voici longtemps déjà, avait défendu une politique semblable. Pourtant, ses objectifs étaient différents : il se proposait, dans la mesure du possible, de rétablir l'équilibre des forces. C'était l'époque de la supériorité nord-américaine, alors qu'aujourd'hui le rapport de forces a changé. Mais ce qui est indiscutable, c'est que les politiques extérieures de Paris et de Bonn sont fondées sur la libre considération, juste ou non, des intérêts nationaux de la République fédérale et de la France.

Au Proche-Orient et en Asie, les conditions sont analogues. Les relations entre les Etats-Unis et Israël sont d'ordre *sui generis* et ne peuvent se réduire au simplisme de la dépendance. Les Israéliens ont autant besoin des armes nord-américaines que les présidents des Etats-Unis du vote et de l'influence des Juifs nord-américains. Il en va de même avec l'Egypte et l'Arabie Saoudite : les besoins des uns et des autres sont mutuels et réciproques. L'Inde, entre le Pakistan et la Chine, cultive une politique indépendante, souvent plus proche de Moscou que de Washington. Le Pakistan, de son côté, ne dépend pas entièrement des Etats-Unis et, depuis longtemps, il entretient une relation spéciale avec la Chine. Quant au noyau du système, c'est-à-dire les Etats-Unis, l'Europe occidentale, le Japon, l'Australie et le Canada, il s'agit d'une alliance d'intérêts et d'un consensus sur la valeur de certains principes et institutions, comme la démocratie représentative, le respect des minorités et la défense des droits de l'homme. Ce consensus ne constitue pas une orthodoxie. Pour toutes ces raisons, le problème de la politique internationale des Etats-Unis est le même que celui de sa politique intérieure : comment trouver, au sein de la pluralité et de la diversité des intérêts et des volontés, l'unité dans l'intention et dans l'action ?

La relation de l'Union soviétique avec les pays qui font partie de son orbite est très différente. Il s'agit d'une relation politique, militaire et idéologique, le tout ensemble et fondé sur une seule réalité. Tous ces pays sont unis par une même doctrine. La version canonique de la doctrine est celle de Moscou, le pouvoir central. Il est vrai que l'Etat russe est devenu un peu plus tolérant qu'à l'époque de Staline, qu'il supporte les incartades de la Roumanie et qu'il a levé l'excommunication contre Tito ; cependant, les marges d'interprétation sont toujours très étroites et toute différence politique se transforme aussitôt en hérésie. Comme dans les théocraties de l'Antiquité, le système communiste réalise la fusion entre le pouvoir et l'idée. Ainsi, toute critique de l'idée devient une conspiration contre le pouvoir ; tout désaccord avec le pouvoir, un sacrilège. Le communisme est condamné à engendrer des schismes, à les multiplier et à les réprimer.

Les orthodoxies aux prétentions universalistes et exclusivistes tendent successivement aux scissions et à leur persécution. Le christianisme est un précédent plein d'enseignements. L'Etat-Eglise de Constantin et de ses héritiers a empêché la doctrine de se disperser en centaines de sectes, mais le prix de cette action a été très élevé : l'Etat théologien fut aussi un Etat inquisiteur. Avec une fureur plus grande que celle des évêques et des moines, l'Etat soviétique a poursuivi toutes les déviations. Ses relations avec les gouvernements des pays satellites renouvellent cette conception théocratique de la politique. A son tour, chacun des pays satellites postule une version de la doctrine qui se veut également canonique et universelle... à l'intérieur de ses frontières. Tout comme l'image dans un miroir brisé, la doctrine se multiplie et chaque fragment se présente comme la version originale, unique et authentique. L'universalité court toujours le danger de s'identifier avec telle ou telle version nationale. Le pouvoir de Moscou est parvenu à empêcher, jusqu'à un certain point, la prolifération des versions hérétiques par l'usage combiné de la flatterie, de l'intimidation et, au besoin, de la force. Si un Etat communiste dépend substantiellement de l'aide militaire et économique russe, comme Cuba et le Viêt-nam, le problème de l'orthodoxie ne se pose même pas. C'est encore le cas lorsque des gouvernements, pour se maintenir au pouvoir, doivent faire appel aux tanks soviétiques, que ce soit en Hongrie, en Tchécoslovaquie ou en Pologne.

L'exemple de l'Afghanistan manifeste la tendance de l'Etat russe à faire de l'idéologie la substance même de la politique. (Curieuse perversion de l'idéalisme : seule est réelle l'idéologie.) L'aventure russe en Afghanistan est l'envers symétrique de ce que fut la politique de l'Empire britannique. Tout au long du siècle passé, les Anglais ont essayé de dominer les Afghans. Bien qu'ils n'y soient jamais totalement parvenus, du moins ont-ils empêché que le pays tombât aux mains de la Russie tsariste. Le seul gouvernement ayant le droit de posséder une mission diplomatique à Kaboul était la Grande-Bretagne. Mais les Anglais n'ont jamais songé à convertir les Afghans à la religion anglicane ni à la monarchie constitutionnelle. En 1919, l'Afghanistan a reconquis son indépendance et s'est ouvert au monde. La liquidation de l'Empire britannique, au lendemain de la Seconde Guerre mondiale, a précipité les événements. Les

Nord-Américains se sont substitués aux Anglais. Mais ils n'ont pu contenir longtemps les Russes. Les circonstances historiques avaient changé radicalement et, en outre, les Etats-Unis défendaient cette position sans convictions : ils n'ont jamais considéré l'Afghanistan comme un point stratégique important. Grave erreur : depuis Alexandre, ce pays a été la porte du sous-continent indien.

Plus heureux que les tsars, le gouvernement soviétique s'est infiltré de plus en plus dans le pays, surtout parmi les jeunes officiers de l'Armée. La politique intérieure de l'Afghanistan a favorisé les Russes. Mohammed Zahir Shah, le roi d'Afghanistan, est monté sur le trône en 1933, après l'assassinat de son père. Il était très jeune et le pouvoir fut exercé par ses proches parents, surtout son beau-frère Daud Khan, qui n'a pas tardé à devenir Premier ministre et l'homme fort du régime. Désireux de se libérer de la tutelle de Daud, le roi a pris la tête d'une révolte pacifique de notables. L'Afghanistan s'est transformé en monarchie constitutionnelle et une loi a écarté du gouvernement les parents du monarque. Le pouvoir a été confié aux représentants de la faction éclairée, décidée à convertir le pays en société moderne. En matière internationale, le régime de Zahir Shah, sous la direction du Premier ministre Hashein Maiwandwal et de son successeur non moins intelligent Ahmed Etemadi, tous deux libéraux, a été strictement neutraliste. C'était l'époque où le mouvement non aligné ne se transformait pas encore en agence de la propagande soviétique.

Daud était un homme du passé. Rusé, brutal et décidé, il a cherché l'amitié de l'Union soviétique. Il s'est allié avec les officiers pro-soviétiques (qui avaient presque tous étudié dans les académies militaires russes) et un coup d'Etat a destitué Zahir Shah. On a proclamé la république et Daud a été nommé président. Cette prise du pouvoir a consolidé la présence prédominante de la

Russie en Afghanistan et a balayé les restes de l'influence nord-américaine et occidentale dans le pays : l'Afghanistan est devenu une sorte de Finlande orientale. Mais cette victoire stratégique et politique n'a pas suffi au gouvernement soviétique. Une fois de plus est apparue l'idéologie : pour consommer la domination russe, il fallait transformer l'Afghanistan — un pays profondément religieux, divisé en ethnies, en tribus et en fiefs rivaux — en République populaire. Un autre coup d'Etat en a fini avec le pouvoir de Daud — et avec sa vie. La suite est bien connue : la lutte entre les factions idéologiques, la terreur et ses milliers de victimes, deux nouveaux coups d'Etat sanglants, la rébellion généralisée contre la dictature communiste, enfin l'intervention armée.

Certains ont comparé l'action de la Russie avec celle des Etats-Unis au Viêt-nam. Comparaison trompeuse : les différences sont énormes. Les Nord-Américains ont soutenu une guerre profondément impopulaire dans le monde entier, y compris dans leur propre pays ; ils ont combattu sur un territoire situé à des milliers de kilomètres du leur et en face d'un ennemi épaulé par deux grandes puissances, la Russie et la Chine. Du reste, la cause vietnamienne a été défendue par une puissante opinion internationale. Par contre, les Russes opèrent dans un pays frontalier ; leur ennemi est isolé, mal armé et manque d'organisation ; le gouvernement russe n'a pas chez lui une opinion indépendante à laquelle il doive rendre des comptes ; enfin, il n'est guère harcelé par une réprobation internationale. Où sont donc les intellectuels, les prêtres et les étudiants qui manifestent en faveur des malheureux Afghans comme ils l'ont fait pour les Vietnamiens ?

L'intervention russe en Afghanistan confirme une fois de plus un fait bien connu : dans ses grandes lignes, l'Etat soviétique poursuit la politique extérieure du régime tsariste. Comme toujours, il s'agit d'une politique dictée par la géographie, mère de l'histoire ; en même temps, elle répond à une tradition impériale expansionniste. Dans le passé, l'idéologie qui nourrissait cet expansionnisme était le panslavisme ; aujourd'hui, c'est le marxisme-léninisme. A ce changement d'idéologie correspond un changement matériel et historique : la Russie est passée du stade de puissance européenne à celui de puissance mondiale. C'est un destin auquel elle était vouée depuis ses origines, comme l'ont deviné quelques esprits lucides du XIXe siècle, dont l'Espagnol Donoso Cortés. En 1904, Henry Adams prévoyait déjà que deux forces opposées allaient bientôt s'affronter : l'*inertie* russe et l'*intensité* nord-américaine. Il ne s'est pas trompé. Mais pourrait-il encore aujourd'hui parler d'inertie à propos de la Russie ? Les termes qui conviennent à la politique soviétique seraient plutôt la ténacité et la patience. Le même Adams, dans un autre passage de son autobiographie, tombe juste en écrivant : « *Russia must fatally roll — must, by her irresistible inertia, crush whatever stood in her way.* » Oui, un rouleau compresseur... Le changement d'idéologie n'a pas modifié le caractère profond de cette grande nation, pas plus que les méthodes de domination de son gouvernement. Depuis le XIXe siècle, l'impérialisme a cessé d'être idéologique : il est devenu une expansion politique, militaire et, surtout, économique. Ni les Anglais, ni les Français, ni les Hollandais n'ont jamais tenté sérieusement de convertir leurs sujets coloniaux, contrairement à ce qu'avaient fait les musulmans et les catholiques espagnols et portugais. Moscou retourne à cette ancienne fusion entre le pouvoir et l'idée, comme les empires prémodernes. Le despotisme bureaucratique russe est une idéocratie impérialiste.

Milan Kundera se montre indigné par l'usage généralisé de l'expression « Europe de l'Est » pour désigner les pays européens gouvernés par des régimes satellites de l'Union soviétique. Ces pays, nous dit le romancier tchèque, font partie de l'Europe occidentale et vivent une situation qui, dans le fond, n'est pas très différente de celle qu'ils ont connue pendant la guerre, sous les gouvernements fantoches imposés par les nazis. Il a raison. Encore faut-il ajouter que la domination russe sur ces peuples a interrompu leur marche historique. Ainsi, par exemple, la Tchécoslovaquie était déjà un pays pleinement moderne, non seulement par son remarquable développement scientifique, technique et économique, mais par la qualité de ses institutions démocratiques et par la richesse et la vitalité de sa culture. Dans quatre de ces nations : la Tchécoslovaquie, la Roumanie, la Hongrie et la Pologne, l'expulsion des nazis s'est faite avec la participation des troupes soviétiques. (Le cas de la Bulgarie est différent et celui du régime communiste allemand est simplement le résultat de l'occupation russe.) En Roumanie et en Hongrie, le communisme s'est implanté sous la direction des militaires soviétiques ; en Tchécoslovaquie et en Pologne, où existaient des mouvements populaires antinazis et démocratiques, le processus a été plus complexe, mais l'influence de Moscou a constitué le facteur décisif qui a orienté ces nations vers le communisme. Depuis lors, l'ombre de l'Union soviétique couvre le territoire de tous ces pays : leurs dirigeants sont responsables, avant tout, devant l'autorité centrale, celle de Moscou ; leur responsabilité face à leurs peuples est secondaire.

Les gouvernements d'Allemagne de l'Est, de Roumanie, de Tchécoslovaquie, de Pologne, de Hongrie et de Bulgarie reproduisent le modèle totalitaire de la métropole même si, bien entendu, il y a des différences entre eux : celui de Roumanie dépend moins de Moscou que ceux d'Allemagne et de Tchécoslovaquie, celui de Hongrie est plus libéral que les autres et ainsi de suite. Mais, dans tous ces pays, apparaissent les traits qui définissent les idéocraties communistes : fusion de l'Etat et du Parti ou, plutôt, confiscation de l'Etat par le Parti ; monopole politique et économique détenu par l'oligarchie bureau-cratique ; fonction prépondérante de l'idéologie ; trans-formation de la bureaucratie en stratocratie, au sens où l'entend Castoriadis. Le facteur déterminant, commun à tous ces régimes, est leur dépendance vis-à-vis de l'exté-rieur. La caste bureaucratico-militaire se maintient au pouvoir grâce aux troupes soviétiques.

La lutte que les peuples européens dits « de l'Est » soutiennent depuis quarante ans contre la domination russe et les gouvernements imposés par Moscou, offre des caractéristiques spéciales. En premier lieu, ce sont des pays dont le passé national est très ancien et très riche ; tous ces pays, la Bulgarie exceptée, étaient parve-nus à la modernité économique et culturelle. Certains d'entre eux, en particulier la Tchécoslovaquie, vivaient sous des institutions démocratiques très avancées alors précisément que d'autres nations européennes, comme l'Italie et l'Allemagne, étaient dominées par des régimes fascistes. Il n'est pas moins remarquable que le combat contre l'oligarchie communiste ait été commencé par la classe ouvrière. S'il est scandaleux de constater que la recrudescence de la lutte des classes a justement lieu dans des régimes qui se disent socialistes, que dire de la répression déchaînée dans ces pays par l'oligarchie com-muniste, avec l'appui de l'Union soviétique ? Il est égale-ment impressionnant de penser que les ouvriers hon-grois, tchèques et polonais luttent pour des droits qui leur sont reconnus dans le reste du monde, y compris dans les pays d'Amérique latine subissant des dictatures militaires réactionnaires. Mais il y a plus : les luttes pour la liberté d'association et le droit de grève ne sont qu'un aspect d'un mouvement plus vaste et qui englobe la population entière. Il s'agit d'une lutte pour la conquête des libertés de base. A son tour, la bataille pour la démocratie est inséparable du mouvement vers l'indé-pendance nationale. Les révoltes contre les oligarchies communistes ne visent pas la restauration du capitalisme, mais le rétablissement de la démocratie et le recouvrement de l'indépendance. Les soulèvements de Hongrie, de Tchécoslovaquie et de Pologne ont été des tentatives de résurrection nationale.

Il n'est pas rare de voir des intellectuels européens et latino-américains mettre sur un pied d'égalité la politique des Etats-Unis et celle de l'Union soviétique, comme s'il s'agissait de deux monstres jumeaux. Une telle comparaison est-elle le fruit de l'hypocrisie, de l'ingénuité ou du cynisme ? Il me semble que l'aspect monstrueux réside dans l'analogie même. Les erreurs, les fautes et les failles des Nord-Américains sont énormes et je ne prétends pas les disculper. Pas plus que je n'excuse les autres démocraties capitalistes de l'Occident ou le Japon. La politique de tous ces gouvernements face à la Russie a été incohérente et presque toujours faible, en dépit de crises passagères d'agressivité verbale ; leur aveuglement devant les problèmes socio-économiques des nations de l'Asie, de l'Afrique et de l'Amérique latine a été aussi grand que leur égoïsme ; fréquemment, ils ont été les complices d'horribles dictatures militaires et, parallèlement, ils se sont montrés indifférents devant d'authentiques mouvements populaires (un des derniers exemples a été leur attitude face au dirigeant révolutionnaire et démocrate nicaraguayen Edén Pastora, connu sous le nom de *Commandant Zéro*...). Tout cela dit, il faut ajouter que les démocraties capitalistes ont su préserver, au sein de leurs frontières, les libertés fondamentales. Par contre, la guerre idéologique à l'extérieur et le despotisme totalitaire à l'intérieur sont les deux notes *constitutives* du régime soviétique et de ses pays vassaux. On ne voit pas la trace de ces deux plaies dans les pays démocratiques occidentaux. Aussi la question n'est-elle pas de défendre le capitalisme ou l'impérialisme, mais bien des formes politiques de liberté et de démocratie qui subsistent encore en Occident. On trouve aussi des germes de liberté, malgré des adversités sans nombre, dans des pays d'Asie et d'Amérique latine, comme l'Inde, Ceylan, le Venezuela, le Costa Rica, le Pérou, la Colombie et quelques autres. Le Liban, lui aussi, avait connu une démocratie : sera-t-elle restaurée un jour ?

Les gouvernements occidentaux ont répondu aux interventions russes en Hongrie et en Tchécoslovaquie par des protestations purement rhétoriques et de vagues menaces de sanctions. Pour l'Union soviétique, les dangers de l'usage de la force ne sont pas dans ces réactions intéressées et timorées des gouvernements de l'Occident, mais bien dans la réponse des peuples soumis à sa domination. Moscou fortifie les liens entre les élites communistes qui exercent le pouvoir, mais restreint la marge de manœuvre des deux parties. L'hégémonie nord-américaine est menacée par la dispersion, celle de la Russie par la rigidité : d'où la fréquence des éclatements. En quelques rares occasions, l'Etat soviétique s'est montré impuissant à supprimer les versions hérétiques de la doctrine. La raison en est que ces versions étaient devenues le credo d'Etats indépendants et capables de faire face. Le premier exemple a été la Yougoslavie. Le cas de l'Albanie est semblable. Mais le schisme le plus grave et le plus décisif a été celui de Pékin. Le conflit avec la Chine n'a pas tardé à dégénérer en escarmouches aux frontières ; plus tard, il s'est étendu à l'Indochine. D'abord, les deux puissances ont combattu à travers leurs alliés, le Viêt-nam et le Cambodge ; après l'agression vietnamienne et la débâcle de Pol Pot, les Chinois ont lancé une expédition punitive contre le Viêt-nam pour lui donner une « leçon ». Le marxisme s'était présenté comme une doctrine qui abolirait la classe salariée et instaurerait la paix universelle ; la réalité du communisme contemporain nous offre une image diamétralement opposée : servitude de la classe ouvrière et querelles entre les Etats « socialistes ».

Quelle que soit l'évolution de la Chine, il n'est guère

probable que ses différends avec l'U.R.S.S. vont s'aplanir. Au contraire, on peut prévoir qu'ils s'aiguisent. Même si les deux rivaux prétendent le contraire, le conflit sino-russe n'est pas idéologique : c'est une lutte entre deux pouvoirs, non entre deux philosophies. L'évaporation de l'idéologie est à la fois extraordinaire et révélatrice : les fantômes de Machiavel et de Clausewitz doivent sourire. La Chine se sait menacée par la Russie : voilà toute la question. Et ses craintes sont justifiées : non seulement elle partage une immense frontière avec l'Union soviétique, mais elle compte, parmi ses voisins, un pays ennemi, le Viêt-nam, et un autre avec lequel elle entretient traditionnellement de mauvaises relations : l'Inde. La rivalité entre la Chine et la Russie a débuté au XVIIᵉ siècle. Les Russes se sont installés sur les rives de l'Amour en 1650 et, l'année suivante, ils ont construit un fort à Albazin. En Chine, à la suite d'une série de bouleversements, la dynastie Ming avait été détrônée et, à sa place, les envahisseurs mandchous avaient installé une nouvelle dynastie, les Ts'ing. Tout occupés à pacifier le pays et à consolider leur domination, les Mandchous, au début, n'ont pu faire face aux Russes. Mais les choses ont changé un quart de siècle plus tard.

En 1661, K'ang-hi est monté sur le trône. Il était le contemporain de trois souverains illustres : Aurangzeb, le grand empereur de l'Inde moghole, Pierre le Grand en Russie et Louis XIV en France. D'après les historiens, K'ang-hi fut non seulement le plus puissant d'entre eux, mais le meilleur souverain, le plus juste et le plus humain. Ce fut un bon militaire et un monarque éclairé, de même qu'un poète distingué et un véritable lettré dans la tradition confucéenne. Ce dernier point ne l'empêcha pas de s'intéresser aux nouvelles sciences européennes. Il en eut connaissance à travers les savants missionnaires jésuites qui, à cette époque, vivaient à Pékin sous son patronage. Dans un livre à la fois érudit et brillant, Etiemble raconte l'intervention des jésuites dans le conflit entre les Chinois et les Moscovites (c'est ainsi que les chroniqueurs de l'époque appelaient les Russes)[1]. La première mesure de K'ang-hi fut d'envoyer ses troupes sur l'Amour, de prendre la forteresse et de la raser. Mais les Moscovites revinrent avec des renforts, repoussèrent les Chinois et rebâtirent le fort. Alors, K'ang-hi fit appel au père Verbiest. Ce jésuite avait fabriqué les instruments de l'observatoire astronomique impérial. Le souverain lui demanda de faire fondre trois cents canons ; au début, le prêtre refusa, mais, plus tard, il dut céder à la demande royale et, sur un an, il fabriqua les pièces d'artillerie. C'est avec l'aide de ces canons que les Russes furent à nouveau délogés et, quelque temps plus tard, en 1689, les empereurs de Chine et de Moscovie signèrent le Traité de Paix de Nerchinsk. Il fut négocié par deux autres jésuites, le père Gerbillon, un Français, et le père Pereira, un Portugais. Il fut rédigé en latin et, nous dit Etiemble, c'est sur ce traité que se fondent en grande partie les réclamations chinoises contre l'Union soviétique en matière de frontières. Le président Mao considérait que le traité de Nerchinsk avait été « le dernier document signé en position d'égalité par la Chine et la Russie ».

Les Etats-Unis et l'U.R.S.S. sont les noyaux de deux systèmes d'alliance. Une comparaison entre eux révèle, à nouveau, une opposition symétrique. Le système qui unit les Nord-Américains avec les pays occidentaux et avec le Japon, le Canada et l'Australie, est un système fluide, constamment en mouvement. Il l'est, en premier lieu, par l'autonomie et la liberté d'action relative de chacun des membres de l'alliance ; ensuite, parce que tous les Etats qui le composent sont des démocraties régies par le principe de rotation au pouvoir des hommes, des partis et des idées : chaque changement de gouvernement, dans chacun des pays, s'accompagne

1. Etiemble, *Les jésuites en Chine*, Gallimard, 1966.

d'un changement plus ou moins important dans sa politique extérieure. Le système russe n'est pas fluide, mais figé ; il ne se fonde pas sur l'autonomie des Etats, mais sur leur sujétion. Chacun des gouvernements alliés dépend du centre et, vu qu'il est au pouvoir grâce au soutien militaire russe, il n'est pas libre de s'écarter de la ligne imposée par Moscou (bien qu'il y ait, c'est évident, des degrés de dépendance : la Roumanie et la Hongrie jouissent d'une plus grande liberté de mouvement que la Bulgarie et la Tchécoslovaquie). Par ailleurs, ni la Russie ni les autres membres du bloc ne connaissent la rotation périodique des hommes et des partis, de sorte que les changements sont infiniment moins fréquents. Fluidité et fixité résultent de la nature de la relation politique unissant les membres des deux systèmes avec leurs centres respectifs. La domination exercée par les Nord-Américains peut se définir comme une hégémonie, dans le sens propre du mot ; celle des Russes, également dans le sens premier, comme un empire. Les Etats-Unis ont des alliés ; l'Union soviétique a des satellites.

La situation change dès que nous fixons les yeux sur la périphérie des deux systèmes. Les Etats-Unis éprouvent de grandes difficultés dans leurs relations avec les nations d'Asie et d'Afrique. Il est clair que certains de ces pays dépendent de l'amitié et de l'aide des Nord-Américains, mais ce rapport n'est pas de sujétion. On ne peut pas dire que les gouvernements d'Egypte, du Maroc, d'Arabie Saoudite, d'Indonésie, de Thaïlande, de Turquie — pour ne pas parler d'Israël ou de la Nouvelle-Zélande — soient des satellites de Washington. Les difficultés des Etats-Unis proviennent en bonne partie du fait qu'ils sont considérés comme les héritiers des puissances coloniales européennes. La guerre du Viêt-nam a été l'exemple le plus remarquable — et le plus justifié — de cette identification. La situation en Amérique latine est encore moins favorable aux Nord-Américains, tant à cause de leurs interventions et de leurs ingérences dans nos pays que suite à leur soutien des dictatures militaires réactionnaires. Néanmoins, leurs relations avec ces dernières n'ont pas toujours été harmonieuses et beaucoup de ces généraux latino-américains se sont montrés insolents et raisonneurs devant leurs protecteurs. Enfin, bien qu'ils soient présents dans le monde entier avec leur richesse et leur force militaire, les Etats-Unis ne proposent pas une orthodoxie universelle et ne comptent pas dans chaque pays sur un parti qui voit en eux l'incarnation de cette idéologie. Toute leur politique a consisté à endiguer les progressions du communisme russe et cela les a transformés en défenseurs de l'ordre établi. Un ordre injuste. Ni les Etats-Unis ni l'Europe occidentale n'ont été capables de planifier une politique viable dans les pays de la périphérie. Ils ont manqué d'imagination politique, mais aussi de sensibilité et de générosité.

L'Union soviétique vit une situation très différente. Elle n'est pas considérée comme l'héritière de l'impérialisme européen en Asie et en Afrique ; elle n'est pas davantage intervenue en Amérique latine, sauf ces derniers temps et indirectement, à travers Cuba. Je veux parler du Nicaragua et du Salvador. (Russes et Cubains nient cette intervention. C'est naturel. Mais il est moins naturel que plusieurs gouvernements, notamment ceux de France et du Mexique, ainsi que beaucoup d'intellectuels et de journalistes libéraux — nord-américains, français, allemands, suédois, italiens — croient ce mensonge et le propagent.) Autre avantage de la Russie : une partie de l'opinion des pays latino-américains, surtout les intellectuels de la classe moyenne, ne la considère pas comme un empire en expansion, mais bien comme un allié contre l'impérialisme yankee. Le gouvernement soviétique a beau faire tout son possible pour dissiper ces illusions, ses comportements en Hongrie, en Tchécoslovaquie, en Pologne et en Afghanistan n'ont pas encore réussi à ébranler la foi de ces croyants. Je souligne, enfin, l'aspect le plus essentiel : Moscou est la capitale idéologique et politique d'une croyance qui combine le messianisme religieux avec l'organisation militaire. Dans chaque pays, les fidèles, réunis en partis qui sont des Eglises militantes, pratiquent la même politique.

Les nations démocratiques vouent un culte superstitieux au changement, à leurs yeux synonyme de progrès. Ainsi, chaque nouveau gouvernement se propose de mener à terme une politique internationale différente de celle de son prédécesseur. A cette instabilité périodique s'ajoute l'apparition cyclique d'une chimère : parvenir à une entente définitive avec l'Union soviétique. Plus d'une fois, les Occidentaux ont cru non pas dans ce qui est possible — un *modus vivendi* pour éviter la guerre — mais à l'impossible : une division définitive des sphères d'influence pour assurer, à défaut de justice, la paix universelle. Chaque fois, la Russie a détruit ces accords en intervenant par la force. Les Russes ne connaissent pas ces changements et ne sont pas victimes de ces illusions dangereuses. Depuis 1920, ils poursuivent la même politique et les modifications qu'ils ont connues n'ont jamais été fondamentales ; tout au plus des changements d'ordre tactique transitoire. Castoriadis voit juste : les Russes ne veulent pas plus la guerre que la paix — ils veulent la victoire. La politique russe est adéquate, persévérante, à la fois souple et inflexible ; en outre, elle allie deux éléments qu'on voit apparaître dans la création des grands empires : une volonté nationale et une idée universelle. Cette conduite, toute de fermeté et d'astuce, de patience et d'obstination, contraste avec les oscillations et les incohérences de la politique nord-américaine, de même qu'avec l'incurie et la fatigue des grandes nations européennes.

Si, au lieu d'examiner l'*état d'esprit* des Etats en lice, nous nous penchons sur la nature de leurs institutions et des conflits qui les habitent, la vision se clarifie. Aux Etats-Unis et en Europe occidentale, les institutions furent conçues pour affronter les changements, pour les guider et les assimiler ; en Russie et dans ses pays satellites, tout est fait pour les empêcher. La distance entre les institutions et la réalité est très grande en Occident ; en Russie, cette distance se transforme en contradiction : il n'y a aucune relation entre les principes qui inspirent le système russe et la réalité sociale. La contradiction grandit plus encore si nous passons de la métropole aux satellites. La solidité de l'Union soviétique est trompeuse : son véritable nom est l'immobilité. La Russie ne peut pas bouger ; plus exactement, si elle bouge, elle écrase le voisin — ou elle s'écroule en mille morceaux.

CHAPITRE IV

Révolte et résurrection

Lamentations dans les faubourgs

Le *Tiers Monde* est une expression qu'il conviendrait d'abolir. L'étiquette n'est pas seulement inexacte : c'est un piège sémantique. Le Tiers Monde représente en fait de nombreux mondes, très différents les uns des autres. On trouve le meilleur exemple dans l'Organisation des Pays non alignés, un ensemble hétérogène de nations unies par une négation. Le principe qui avait inspiré ses fondateurs — Nehru, Tito et d'autres — était judicieux ; sa fonction, dans l'assemblée des nations et devant les abus des grandes puissances, aurait dû être d'ordre critique et moral. Elle ne l'a pas été parce que les passions idéologiques l'ont entraînée et parce que nul de ces gouvernements ou presque ne peut donner des leçons de moralité publique aux autres nations. En réalité, cette assemblée n'est unie que par l'animosité que ressentent beaucoup de ses membres envers l'Occident. Ce sentiment est explicable : presque tous les pays en question ont été les victimes des impérialismes européens, en tant que colonies ou parce qu'ils ont souffert de leurs intrusions et de leurs exactions. Il est également naturel qu'ils ne voient pas d'un très bon œil les Etats-Unis, à la fois l'allié et le chef de file de leurs anciens dominateurs. L'Union soviétique a utilisé ces sentiments avec sagacité et s'est efforcée, avec toujours plus de succès, d'agir en

99

sorte que l'Organisation se transforme en tribune d'attaques contre les Etats-Unis et l'Europe occidentale. L'erreur la plus grave a été d'admettre des pays ouvertement alignés, comme Cuba. Si l'Organisation ne recouvre pas son ancienne indépendance, non seulement elle perdra sa raison d'être, mais, à la façon de ce Conseil Mondial de la Paix au temps de Staline, elle finira par devenir un pur et simple bureau de propagande.

La fin des empires coloniaux européens et la transformation des anciennes colonies en nouveaux Etats peuvent être considérées comme une grande victoire de la liberté humaine. Par malheur, beaucoup de ces nations qui ont obtenu l'indépendance sont tombées sous la domination de tyrans et de despotes qui se sont rendus plus célèbres par leurs excentricités et leur férocité que par leur art de gouverner. Le crépuscule du colonialisme n'a pas été l'aube de la démocratie. Pas plus que le commencement de la prospérité. Là où la démocratie subsiste encore, comme en Inde, la misère persiste également. La pauvreté est un des fléaux des pays sous-développés. On dit souvent que c'est l'obstacle principal interdisant l'accès de ces peuples à la démocratie. Demi-vérité : l'Inde justement montre que le sous-développement et la démocratie ne sont pas entièrement incompatibles. Cependant, il reste vrai que les institutions démocratiques survivent difficilement là où le processus de modernisation a été incomplet, où règne la pauvreté et où sont encore embryonnaires les groupes qui constituent la base des démocraties modernes : la classe moyenne et le prolétariat industriel. Pourtant, la démocratie n'est pas la conséquence du développement économique, mais bien de l'éducation politique. Les traditions démocratiques — la grande contribution anglaise au monde moderne — ont été assimilées plus profondément par l'Inde que par l'Allemagne, l'Italie et l'Espagne, pour ne rien dire de l'Amérique latine.

Les perversions dont a souffert le marxisme durant les

dernières années m'obligent à rappeler que Marx et Engels avaient toujours conçu le socialisme comme une conséquence du développement et non comme une méthode pour y parvenir. Une des lacunes du marxisme — je veux parler du vrai, non des élucubrations qui circulent dans nos pays — est la pauvreté et l'insuffisance de ses concepts sur le développement économique. Les grands auteurs, à commencer par Marx et Engels, ont peu écrit sur ce thème ; ils avaient tous les yeux fixés sur les pays capitalistes les plus avancés. En tout cas, une chose est certaine : les fondateurs et leurs disciples — y compris Lénine, Trotsky et Rosa Luxemburg, pour ne pas citer Kautsky et les mencheviks — ont toujours pensé que le socialisme ne venait pas *avant*, mais *après* le développement. Cela n'a pas empêché beaucoup d'intellectuels des pays sous-développés de croire que le socialisme était le moyen le plus rapide et efficace — peut-être le seul — pour sortir du sous-développement. Une croyance néfaste qui est à l'origine de ces hybrides historiques qui auraient consterné Marx et dont le nom même est un contresens : « socialismes sous-développés ».

L'idée d'utiliser le socialisme comme agent du développement économique s'est inspirée de l'exemple de la Russie. Il est vrai que ce pays s'est converti en une puissance industrielle, même si les méthodes utilisées par Staline pour y parvenir ont été la négation du socialisme. Mais il n'y a rien de mystérieux dans ce changement. Demain peut-être, la Chine sera aussi une grande puissance industrielle. Il en adviendra de même avec le Brésil et probablement avec l'Australie. La transformation économique de ces pays n'a pas beaucoup à voir avec le socialisme : chacun d'eux possède les ressources naturelles et humaines dont a besoin une nation pour devenir une puissance mondiale. Ce qui est prodigieux, c'est que d'autres pays, avec moins de recours et d'habitants, en moins de temps et avec moins de souffrances, ont réussi un développement impressionnant : le Japon,

Israël, T'ai-wan, Singapour, etc. On peut en dire autant des différences de développement entre les pays européens sous la domination russe : Allemagne de l'Est, Tchécoslovaquie, Hongrie, Pologne, Roumanie ; ces différences ne sont pas dues à différentes sortes de socialisme, mais à des circonstances particulières, qu'elles soient économiques, techniques, naturelles ou culturelles.

Le cas de Cuba montre bien que le socialisme n'est pas une panacée contre le sous-développement économique. Je cite ce pays car il réunit plusieurs conditions qui le rendent exemplaire. D'abord, sa population est plus ou moins homogène, malgré la pluralité raciale ; elle est distribuée sur un territoire peu étendu avec un bon réseau de communications ; son niveau de vie et d'éducation publique, avant que Castro ne prenne le pouvoir, était un des plus élevés d'Amérique latine (à peine inférieur à l'Uruguay et à l'Argentine). En second lieu, contrairement au Viêt-nam et au Cambodge, Cuba n'a pas été dévasté par une guerre. Le blocus nord-américain a provoqué des difficultés dans l'économie cubaine, mais celles-ci ont été compensées en partie par le commerce avec le reste du monde et, surtout, par l'aide soviétique. Enfin, le régime de Castro est au pouvoir depuis un quart de siècle, de sorte qu'il est déjà possible d'apprécier, avec une certaine distance, ses succès et ses échecs. On a longtemps et souvent dit — surtout parmi les marxistes — que la raison fondamentale du sous-développement cubain et de sa dépendance vis-à-vis des Etats-Unis était la monoculture du sucre, qui liait l'économie de l'île aux oscillations et aux spéculations du marché mondial. Je crois que cette opinion était juste. Or, sous le régime de Castro, non seulement la monoculture n'a pas disparu, mais elle reste l'axe de l'économie du pays. Le « socialisme » n'a pas réussi à changer l'économie cubaine ; ce qui a changé, c'est la dépendance.

Une autre fatalité des temps est que l'Asie et l'Afrique se sont transformées en champs de bataille. Comme la guerre moderne est voyageuse, il ne serait pas impossible que, demain, elle se transporte en Amérique centrale. Toutes les guerres de cette période ont été périphériques et on y perçoit chaque fois la combinaison de trois éléments : les interventions des grandes puissances, les rivalités entre les Etats de la région et les luttes intestines. C'est la répétition du modèle traditionnel. Il suffit de jeter un coup d'œil sur l'histoire des grandes conquêtes — celles de César ou de Cortés, d'Alexandre ou de Clive — pour trouver les mêmes éléments : le conquérant profite invariablement des rivalités entre les Etats et des divisions internes. Parfois le pouvoir impérial se sert d'un Etat satellite pour mener à bien ses desseins : c'est le cas du Viêt-nam dans le Sud-Est asiatique, de Cuba en Afrique et en Amérique centrale. Les Etats-Unis ont également utilisé les régimes militaires en Amérique latine et ailleurs comme instruments de leur politique. Mais ils n'ont pu compter sur des alliés actifs et intelligents comme les élites révolutionnaires qui, dans de nombreux pays, se sont approprié les mouvements d'indépendance et de résurrection nationale. Dans d'autres cas, les empires utilisent les querelles intestines des pays pour intervenir militairement ; ainsi de l'Afghanistan.

Dans le conflit qui oppose Israël aux pays arabes, bien que l'écheveau avec lequel se tisse l'histoire soit plus embrouillé, les mêmes éléments sont en jeu : les intérêts et les ambitions des grandes puissances ; les rivalités entre les Etats de la région, une situation particulièrement compliquée car, du côté arabe, il y a plusieurs tendances ; les divisions internes qui déchirent chacun des protagonistes, comme les Juifs et les Palestiniens en Israël, les chrétiens et les musulmans au Liban, les Bédouins et les Palestiniens en Jordanie, les chi'ites et les sunnites ailleurs, pour ne pas mentionner des minorités ethniques et religieuses comme les Kurdes. Le conflit est un nœud d'intérêts économiques et politiques, d'aspirations nationales, de passions religieuses et d'ambitions individuelles. Les accords entre l'Egypte et Israël furent une victoire de la raison aussi bien que de la lucidité et du courage de Sadate. Mais ce fut une victoire incomplète. Il n'y aura pas de paix dans cette région tant que, d'une part, Israël ne reconnaîtra pas sans ambages que les Palestiniens ont droit à un foyer national et, d'autre part, tant que les Etats arabes et spécialement les dirigeants palestiniens n'accepteront pas de bon gré — et définitivement — l'existence d'Israël.

Addenda

Les pages qui précèdent ont été écrites en 1980. Peu après, l'écheveau s'est emmêlé de manière sanglante. L'abject assassinat de Sadate n'a pas servi le dessein des fanatiques : les négociations entre l'Egypte et Israël se sont poursuivies et les troupes juives ont évacué le Sinaï. Mais la mort du président égyptien a rendu encore plus visible la désolation du monde contemporain : aucun des dirigeants actuels — arabes, juifs et palestiniens — n'a eu les dimensions de Sadate, c'est-à-dire ce mélange d'audace, de clairvoyance et de générosité. Aucun d'entre eux n'a su répéter son geste et tendre la main à l'adversaire. Juifs et Arabes sont les branches d'un même tronc, non seulement par leur origine, mais par leur langue, leur religion et leur histoire ; s'ils ont pu coexister dans le passé, pourquoi se massacrent-ils aujourd'hui ? Dans cette terrible guerre, l'obstination s'est transformée en aveuglement suicidaire. Aucun des combattants ne pourra remporter la victoire définitive ni exterminer l'adversaire. Juifs et Palestiniens sont condamnés à vivre ensemble.

Le peuple de l'Holocauste ne s'est pas montré généreux envers les Palestiniens et ceux-ci ont dû fuir pour trouver refuge en Jordanie (un pays inventé par la diplomatie britannique). Là, ils ont provoqué une guerre civile, mais les Bédouins, leurs frères de sang et de religion, les ont écrasés. A nouveau fugitifs, ils ont cherché un asile au Liban, un pays célèbre pour la douceur de ses coutumes et pour la coexistence pacifique et civilisée entre musulmans et chrétiens. Les Palestiniens ont recommencé leur guérilla et transformé le Liban en base d'opérations contre Israël. Parallèlement, avec les troupes syriennes d'occupation, ils ont contribué, de façon définitive, au démembrement du pays qui les avait accueillis et ils ont soutenu une guerre féroce avec les chrétiens libanais, qui avaient cherché l'appui d'Israël. Au lendemain de l'accord avec l'Egypte, les Israéliens ont pu s'occuper de l'autre front. Bien décidés à en finir avec la guérilla, ils ont envahi le Liban, neutralisé les troupes syriennes et, avec l'aide des milices libanaises chrétiennes, ils ont mis en déroute les guérilleros palestiniens. Au cours des opérations, les milices chrétiennes, avec la complicité du commandement israélien, ont attaqué un camp de réfugiés palestiniens et assassiné plus d'un millier de gens sans défense. Vengeance cruelle qui a converti en meurtriers les chrétiens libanais, jusque-là victimes des Palestiniens, et les Israéliens en complices d'un massacre. Le cercle s'est ainsi refermé : les martyrs sont devenus bourreaux et ont transformé leurs bourreaux en martyrs.

Le succès de l'opération israélienne au Liban ne s'explique pas seulement par la supériorité militaire. Les Juifs ont bénéficié de l'appui des chrétiens et d'une grande partie des musulmans, fatigués de l'occupation syrienne et des excès des Palestiniens qui avaient fait de Beyrouth leur quartier général. Un nouveau gouvernement libanais a été constitué et on peut prévoir que les troupes étrangères — syriennes et israéliennes — se retireront du Liban dans les prochains mois. Ainsi, la paix pourrait enfin revenir dans cette région, à condition que toutes les parties — les Juifs, les Jordaniens et les Palestiniens — se décident à entamer des négociations. Les peuples directement intéressés doivent rejeter l'ingérence des nations qui, animées par Moscou, ne cherchent qu'à attiser le feu. Je pense à la Syrie et, surtout, à la Libye, dominée par un tyran démagogue, à la fois religieux fanatique et protecteur de terroristes. Par ailleurs, le triomphe d'Israël peut se retourner contre lui si le gouvernement de Tel-Aviv cède à la tentation de le considérer comme une solution définitive au conflit. La solution ne peut être militaire, mais politique, et elle doit se fonder sur le seul principe qui garantisse, en même temps, la paix et la justice : tout comme les Juifs, les Palestiniens ont droit à une patrie.

Il est vrai que les méthodes guerrières des Palestiniens ont été, presque toujours, abominables ; que leur politique a été fanatique et intransigeante ; que leurs amis et défenseurs ont été et restent des gouvernements agressifs et criminels comme ceux de Libye et des idéocraties totalitaires. Aussi grave que soit tout cela, rien ne peut faire oublier la légitimité de leur aspiration. Certes, les Palestiniens ont suivi des leaders fanatiques et des démagogues qui les ont conduits au désastre ; s'ils veulent l'indépendance et la paix, ils doivent chercher d'autres guides. Mais l'attitude des dirigeants palestiniens n'est pas seule en cause : il faut y ajouter l'intransigeance israélienne, l'égoïsme des Jordaniens et la politique tortueuse de plusieurs Etats arabes, surtout la Syrie et la Libye. Pendant la Seconde Guerre mondiale, André Breton a écrit que « le monde doit une réparation au peuple juif ». Depuis que je les ai lues, j'ai fait miennes ces paroles. Quarante ans plus tard, je dis ceci : Israël doit une réparation aux Palestiniens[1].

1. J'avais à peine écrit ces lignes que la suite des événements les a rendues insuffisantes : non seulement les Syriens ont refusé de quitter

Les luttes et les désastres du Proche-Orient se répètent et se multiplient en Asie et en Afrique. Outre la guerre insensée entre l'Iran et l'Irak, nous avons été les témoins impuissants d'une succession de conflits entre l'Ethiopie et l'Erythrée, la Libye et le Soudan, la Chine et le Viêt-nam, pour ne citer que les plus connus. Ces conflits sont allés de l'escarmouche frontalière à la guerre ouverte et du massacre d'innocents au génocide. Dans tous les cas, nous retrouvons, imbriqués de différentes manières, les facteurs que j'ai mentionnés plus haut : les vieilles rivalités tribales, nationales et religieuses ; l'apparition de nouvelles castes dominantes avec des idéologies autoritaires et agressives ; l'intervention armée des grandes puissances. Dans tous ces pays, les luttes contre la domination des pouvoirs coloniaux ont été menées à terme sous la direction d'une élite de révolutionnaires professionnels. Très souvent, les dirigeants se sont nourris des idéologies révolutionnaires dans les universités des anciennes métropoles. Les écoles supérieures du Vieux Monde ont été des pépinières de révolutionnaires tout comme, au siècle passé, les collèges de jésuites avaient été les pourvoyeurs en athées et en libres penseurs. L'Europe a transmis les idées révolutionnaires aux clas-

leurs positions, mais leur pouvoir militaire est devenu un facteur décisif dans la région. A l'extérieur, le régime syrien compte sur l'aide militaire et politique de l'U.R.S.S. ; à l'intérieur, le président Asad s'appuie sur une sous-secte chi'ite : les Alaouites. Ils sont une minorité dans un pays sunnite. Il semble qu'Asad soit gravement malade ; s'il disparaissait, la succession entraînerait sans doute une période de lutte intestine. Enfin, quel que soit le sort que l'avenir réserve aux malheureux Syriens, il est clair que la politique d'Israël a subi un grave échec, tout comme celle des Etats-Unis, et les puissances occidentales n'ont eu d'autre recours que de retirer leurs troupes de Beyrouth. Ces échecs soulignent la stérilité d'une politique qui s'inspire exclusivement ou principalement de considérations militaires. Pourtant, cette observation ne s'applique pas seulement aux Nord-Américains et aux Israéliens, mais à ceux de l'autre bord, surtout les Syriens et les Palestiniens.

ses dirigeantes de ses colonies et, avec ces idées, la maladie qui la ronge depuis le siècle dernier : le nationalisme. Au mélange de ces deux éléments explosifs — les utopies révolutionnaires et le nationalisme — il faut ajouter une composante encore plus active : l'apparition d'une nouvelle élite. Que ce soit dans leurs idées ou dans leur organisation et leurs manières de lutter, ces élites reproduisent le modèle communiste du parti-milice. Il s'agit de minorités dressées et entraînées pour faire la guerre, imprégnées d'idéologies agressives et qui ne respectent en rien l'opinion et la vie des autres.

Profitant des authentiques révoltes populaires, les élites des révolutionnaires professionnels ont confisqué et perverti les aspirations légitimes de leurs peuples. Une fois au pouvoir, ils ont instauré la guerre idéologique comme unique *modus fascendi*. Marx croyait que le socialisme mettrait fin à la guerre entre les nations ; ceux qui ont usurpé son nom et son héritage ont fait de la guerre la condition permanente des nations. A l'intérieur, leur action est despotique ; à l'extérieur, invariablement belliqueuse. Le cas le plus triste et le plus terrible a été celui de l'Indochine : la déroute des Etats-Unis et de leurs alliés a été immédiatement suivie par l'instauration d'un régime bureaucratico-militaire au Viêt-nam. Le gouvernement communiste, violemment nationaliste, a ressuscité les anciennes prétentions hégémoniques du pays et, appuyé par l'Union soviétique, il a imposé par les armes sa domination sur le Laos et le Cambodge. Les Chinois, suivant à leur tour la politique traditionnelle de leur pays dans cette région, se sont opposés à l'expansion des Vietnamiens et ont réussi à les contenir, mais non à les déloger du Laos et du Cambodge. Au malheureux Cambodge, les troupes vietnamiennes et leurs complices locaux ont succédé à la tyrannie criminelle de Pol Pot, le protégé des Chinois. Pol Pot et son groupe furent les auteurs d'une des grandes opérations criminelles de notre siècle, comparable à celles de Hitler et de Staline. Pourtant, leur chute ne fut pas une libération, mais la substitution d'une tyrannie de criminels pédants — Pol Pot a étudié à Paris — par un régime despotique soutenu par des troupes étrangères. L'exemple de l'Indochine est impressionnant car il nous montre, avec une clarté redoutable, le sort réservé aux soulèvements populaires confisqués par les élites des révolutionnaires professionnels organisés militairement. Le même processus s'est répété à Cuba, en Ethiopie et, à l'heure présente, il s'instaure au Nicaragua.

Le soulèvement des particularismes

Depuis plus d'un siècle, certains parlent de la révolution de la science et de la technique ; d'autres, avec la même insistance, ont parlé de la révolution du prolétariat international. Ces deux révolutions représentent, pour les idéologues et leurs croyants, les deux faces contradictoires, bien que complémentaires, de la même divinité : le Progrès. Dans cette perspective, les retours et les résurrections historiques sont impensables ou condamnables. Je ne nie pas que la science et la technique ont changé radicalement les façons de vivre de l'homme, quoiqu'elles n'aient pas modifié sa nature profonde ni ses passions ; je ne nie pas davantage que nous avons été les témoins de nombreux changements et bouleversements sociaux, bien que leur théâtre n'ait pas été les pays développés ni leur protagoniste le prolétariat industriel, mais bien d'autres groupes et secteurs. Pourtant, ce qui caractérise cette fin de siècle est le retour de croyances, d'idées et de mouvements que l'on croyait disparus de la surface historique. Beaucoup de fantômes se sont incarnés, beaucoup de réalités enterrées ont resurgi.

Si un mot peut définir notre époque, ce n'est pas la Révolution, mais la Révolte. Cette Révolte ne doit pas seulement s'entendre dans le sens de perturbation ou de mutation violente, mais aussi dans celui d'un changement qui est retour aux origines. La Révolte comme Résurrection. Presque toutes les grandes secousses sociales de ces dernières années ont été des résurrections. Parmi elles, la plus remarquable a été celle du sentiment religieux, généralement associé à des mouvements nationalistes : le réveil de l'islam ; la ferveur religieuse en Russie après plus d'un demi-siècle de propagande antireligieuse et le retour, chez les élites intellectuelles de ce pays, à des modes de penser et à des philosophies que l'on croyait disparus avec le tsarisme ; le renouveau du catholicisme traditionnel dans des pays comme le Mexique, la Pologne ou l'Irlande, à l'opposé de la conversion d'une partie du clergé international au messianisme révolutionnaire séculier ; la vague de retour au christianisme au sein de la jeunesse nord-américaine ; la vogue des cultes orientaux, etc. Prodige ambigu car les religions sont ce qu'étaient les langues pour Esope : le meilleur et le pire que les hommes aient inventés. Elles nous ont donné le Bouddha et saint François d'Assise, mais aussi Torquemada et les prêtres de Huitzilopochtli[1].

Les événements d'Iran cadrent parfaitement avec cette conception de la révolte comme résurrection. Le renversement du Shah ne s'est traduit par une victoire ni de la classe moyenne libérale ni des communistes ; c'est le chi'isme qui a gagné. Voilà un fait qui a déconcerté tout le monde, à commencer, comme d'habitude, par les experts. Le chi'isme est plus qu'une secte musulmane et moins qu'une religion séparée. Ses adeptes se considèrent comme les véritables orthodoxes et estiment que les pratiques et les croyances de la majorité sunnite, au bord de l'hérésie, sont infectées de paganisme. Le chi'isme se définit par son puritanisme, son intolérance

1. Le dieu aztèque de la Guerre. *(N.d.T.)*

et par l'institution du guide spirituel, l'iman (chez les sunnites, l'iman est simplement chargé de diriger les prières à la mosquée). L'iman chi'ite est une dignité spirituelle différente de celle du calife parmi les sunnites. Le califat participait du pontificat électif et de la monarchie héréditaire, alors que l'imanat est un lignage spirituel. Les imans, d'une part, étaient les descendants d'Ali, le gendre du Prophète, et de son petit-fils Hossein, le martyr assassiné à Karbala ; d'autre part, ils étaient les élus de Dieu. La conjonction de ces deux circonstances, l'élection divine et l'héritage, accentue le caractère théocratique du chi'isme. Les imans furent au nombre de douze et le dernier fut l'Iman caché, le disparu, celui qui un jour reviendra : Mahdi. Cet avènement, semblable à la descente du Christ à la fin des temps, dote le chi'isme d'une métahistoire.

Un autre trait notable est que tous les imans sont morts de mort violente, non pas victimes des chrétiens ou des païens, mais des musulmans sunnites. Ils ont été les victimes de guerres civiles qui étaient aussi des guerres religieuses. Si quelque chose distingue le chi'isme du reste de l'islam, c'est son culte du martyre : les onze imans de la tradition ont été sacrifiés, comme Jésus. Mais il y a une grande différence, très significative : ils sont tous morts les armes à la main ou empoisonnés par leurs ennemis. L'islam est une religion combattante et de combattants. A l'inverse de la majorité sunnite, le chi'isme est une foi de vaincus et de martyrs. Dans toutes les religions, comme dans toutes les manifestations érotiques, il existe un versant sadique et un autre penchant vers l'autoflagellation et le martyre. La seconde tendance triomphe dans le chi'isme. Cependant, tout comme dans le domaine de l'érotisme, le passage du masochisme au sadisme est soudain et fulminant. C'est ce qui a eu lieu en Iran.

Une différence majeure entre le chi'isme et les autres confessions musulmanes est l'existence d'un clergé organisé, gardien des traditions non seulement religieuses, mais nationales. Le chi'isme s'est identifié à la tradition persane et, dans certaines de ses sectes — je songe aux ismaéliens —, on peut percevoir les traces des anciennes religions iraniennes, comme le manichéisme. Ici, il n'est pas inutile de rappeler que le génie iranien a créé de grands systèmes religieux. Dans la période islamique, il a illustré le soufisme, la contrepartie spirituelle du chi'isme, avec de grands mystiques. C'est un peuple de philosophes, de visionnaires et de poètes, mais aussi de prophètes sanguinaires, tel ce Hasan ibn al-Sabbah, fondateur de la secte des *Haschischins* (origine du mot assassin), ces guerriers fumeurs de haschisch qui terrorisèrent les chrétiens et les sunnites au XIIe siècle. Pour résumer, le chi'isme est une théocratie militante qui se résout dans une métahistoire : le culte du Mahdi, l'Iman caché. A son tour, la métahistoire chi'ite débouche sur un millénarisme à la fois nationaliste, religieux et combattant, fasciné par le culte du martyre.

La révolte qui a mis fin au régime du Shah est une traduction en termes plus ou moins modernes de tous les éléments que j'ai mentionnés plus haut. Je souligne, à nouveau, que nous ne sommes pas témoins d'une révolution au sens propre du terme, que ce soit dans la tradition libérale ou marxiste, mais bien d'une *révolte*[1] : un retour à l'essence, au cœur du peuple, une exhumation de la tradition cachée. L'Iran a rejeté la modernisation par le haut que le Shah et son régime autoritaire ont voulu lui imposer, avec l'aide et l'amitié des Etats-Unis. Quand Mohammad Riza est tombé, nous avons été nombreux à nous demander si les nouveaux dirigeants seraient capables de concevoir un autre projet de modernisation, plus adapté à la tradition du pays, et de le réaliser de bas en haut. Au début, le doute était

---

1. Dans l'espagnol *revuelta* (révolte), il y a le mot *vuelta* (tour, retour). *(N.d.T.)*

permis. La présence, dans le gouvernement de Téhéran, de personnalités comme Bani Sadr, ouvrait une porte à l'espérance. Bani Sadr descendait d'une famille religieuse, son père était ayatollah et Khomeyni lui-même avait présidé aux rites de son enterrement. Théologien et économiste, il s'est proposé de mener à bien une synthèse entre la tradition islamique et la pensée politique et économique moderne. Il n'a même pas eu le temps de concrétiser ses idées : il a été balayé par les sectateurs de son ancien ami et père spirituel, Khomeyni. Episode lamentable : dans la révolte persane, il y avait les germes d'une renaissance historique[1]. Peut-être existent-ils encore, mais étouffés actuellement par le couple qui menace tous les soulèvements populaires : le démagogue et le tyran. Le démagogue provoque le chaos ; alors le tyran se présente avec sa guillotine et ses bourreaux.

Pourquoi la révolte iranienne a-t-elle fermé les portes au lieu de les ouvrir, comme l'avait fait la Révolution mexicaine ? Dans le mouvement contre le régime de Mohammad Riza, l'intervention de la classe moyenne éclairée a été décisive. Voilà un phénomène qu'on retrouve souvent dans l'histoire : l'opposition contre le Shah a commencé au sein d'un groupe social issu de la politique de modernisation économique et intellectuelle entreprise par le souverain lui-même. La tendance de ces intellectuels ouverts à la culture moderne et, dans de nombreux cas, éduqués à l'étranger, était un nationalisme démocratique teinté de réformisme socialiste. Certains, comme Bani Sadr, tentaient de concilier la pensée moderne avec la tradition islamique (comme l'avaient fait des mouvements chrétiens au Mexique). Mais cette classe moyenne, après avoir opposé une résistance inefficace aux bandes de Khomeyni, a dû se retirer et céder

1. Le nom officiel de l'Iran tend à souligner l'origine aryenne de la nation. Mais la Perse est un mot qui, pour nous, évoque trois mille ans d'histoire.

la place aux extrémistes. Beaucoup de ses membres ont été fusillés et d'autres vivent dans l'exil.

Les partisans de Khomeyni sont unis par une idéologie traditionnelle, simple et toute-puissante, qui s'est identifiée avec la nation même, comme le catholicisme en Pologne ou au Mexique. Fidèles à la tradition de l'islam — religion de combattants — ils se sont organisés militairement dès le début. Ainsi, dans les bandes chi'ites qui suivent Khomeyni et ses ayatollahs, on distingue les mêmes éléments de base que dans les partis communistes : la fusion entre les facteurs militaire et idéologique. Le contenu est opposé, mais les éléments et leur fusion sont identiques. Le clergé chi'ite, blessé dans ses énormes intérêts économiques et dans son idéologie par la réforme agraire du Shah et sa politique de modernisation, a d'abord fait cause commune avec les réformistes de la classe moyenne, mais n'a pas tardé à s'approprier le mouvement, qui s'est transformé peu à peu en insurrection. En termes politiques, c'était une révolte ; en termes historiques et religieux, une résurrection. De croyance passive qu'il était, le chi'isme est devenu une force active dans la vie politique de l'Iran. Mais, tant par son idéologie et sa vision du monde que par sa structure et son organisation, le clergé chi'ite ne peut ouvrir les portes de la modernité authentique au peuple iranien. Son mouvement est uniquement régressif. Cruelle déception : la révolte s'est achevée en domination cléricale et la résurrection en rechute !

Pour justifier leur pouvoir, les tyrannies et les despotismes utilisent la menace d'un ennemi extérieur. Quand cet ennemi n'existe pas, ils l'inventent. L'ennemi est le diable. Non pas un diable quelconque, mais une figure, à moitié réelle et à moitié mythique, réunissant l'ennemi extérieur et celui de l'intérieur. L'identification de l'ennemi intérieur avec le pouvoir étranger possède une valeur à la fois pratique et symbolique. Le diable n'est pas en nous, mais en dehors du corps social : c'est l'étranger et nous devons tous nous unir autour du chef révolutionnaire pour nous défendre. Dans le cas de l'Iran, le diable Carter a servi d'agent de l'unité révolutionnaire. Pour Khomeyni, il était impérieux de réussir cette unité. Sans le diable, sans l'ennemi extérieur, il ne lui aurait pas été facile de justifier la lutte contre les minorités ethniques et religieuses — les Turcs, les Kurdes, les sunnites, les habitants du Baloutchistan — et contre les opposants et les dissidents. Je ne veux pas dire que la colère des Iraniens contre les Etats-Unis était injustifiée. Pour la conscience musulmane, les Nord-Américains représentent la continuité de la domination occidentale ; ils sont les héritiers non seulement des impérialismes européens du siècle passé, mais des aventuriers et des guerriers d'autres temps. Outre ces obsessions historiques, il y a la réalité contemporaine : les gouvernements de Washington ont été les complices et les défenseurs du Shah. Ainsi, tout désignait les Etats-Unis comme le Diable en personne pour les Iraniens. On ne peut pas dire qu'ils n'aient pas mérité cette dignité équivoque. La présence du Shah à New York a réalisé la fusion entre l'imagination et la réalité : le Diable a cessé d'être un concept et s'est transformé, aux yeux des croyants, en présence palpable. La réponse a été l'assaut de l'Ambassade des Etats-Unis et la capture des diplomates.

Cet épisode fait songer à une pièce de théâtre tissée par le Hasard, un auteur plus indifférent que malveillant. C'est le même Hasard qui, dans les œuvres de Shakespeare et de Marlowe, se substitue au Destin grec et à la Providence chrétienne. La différence entre ces anciens pouvoirs et le Hasard moderne réside en ceci : on suppose que les actes de la Providence et de la Destinée ont un sens, même s'il est caché, alors que ceux du Hasard n'ont pas de logique, de but ou de signification. Chacun des éléments de la crise s'est enchaîné au suivant avec une sorte d'incohérence rigoureuse et comme sans préméditation : la maladie du Shah, sa décision imprudente de ne pas se faire soigner au Mexique mais à New York, la décision non moins imprudente du gouvernement nord-américain de l'accepter. Pour les dirigeants iraniens, la présence du Shah aux Etats-Unis fut comme un cadeau tombé non pas du ciel, mais des propres mains de leurs adversaires.

La prise de l'Ambassade et l'arrêt des diplomates ont été une sorte de sacrilège. Dans les mouvements révolutionnaires, la notion de sacrifice s'unit presque toujours à celle de sacrilège. La victime symbolise l'ordre qui meurt et son sang nourrit les nouveaux temps qui naissent : Charles Ier et Louis XVI meurent décapités. La fonction du sacrilège est semblable à celle du diable étranger : elle unit les révolutionnaires dans la fraternité du sang répandu. Balzac a été un des premiers à montrer comment le crime partagé est une sorte de communion (voir l'*Histoire des Treize*). Mais le sacrilège, en outre, désacralise la personne ou l'institution profanée ; je veux dire que c'est réellement une profanation : elle rend profane ce qui était sacré. Forcer les portes de l'Ambassade des Etats-Unis et l'occuper, c'était profaner un lieu traditionnellement considéré comme intouchable par les traités, le droit et l'usage international. Une profanation qui, simultanément, affirme l'existence d'un droit plus élevé : le droit révolutionnaire. Ce raisonnement n'est pas d'ordre juridique, mais religieux : les révoltes et les révolutions sont des mythes incarnés.

En Iran, les sacrifices ont été et continuent d'être nombreux, bien qu'ils ne présentent pas le caractère impersonnel des massacres de Hitler, de Staline ou de Pol Pot, qui ont appliqué à l'extermination de leurs semblables les méthodes de la production industrielle en série. La cruauté de Khomeyni et de son clergé est archaïque. Dans le sacrifice, comme dans le rite du diable étranger, l'utilité politique s'allie au symbolisme rituel. Tous les mouvements révolutionnaires se proposent de fonder un ordre nouveau ou de restaurer un ordre immémorial. Dans les deux cas, les révolutions, fidèles au sens originel du mot, sont des retours au commencement, de véritables ré-voltes. Le recommencement, comme nous l'enseigne l'anthropologie, s'actualise ou se réalise à travers un sacrifice. Entre le temps qui s'achève et celui qui débute, il y a une pause ; le sacrifice est l'acte par lequel le temps se remet en marche. Il s'agit d'un phénomène universel, présent dans toutes les sociétés et à toutes les époques, même s'il assume chaque fois une forme différente. Ainsi, dans certaines régions isolées de l'Inde, on commence toujours la construction d'une maison par un rite qui consiste à humecter les fondations avec du sang de chevreau, à la place de l'ancienne victime humaine. On assiste parfois à de curieuses transpositions de ce vieux rite en termes politiques modernes : il y a des années, alors que je rendais une visite diplomatique à Mme Bandaranaiken, alors Premier ministre de Ceylan, elle m'a raconté les expériences d'un de ses voyages à Pékin en déclarant notamment ceci : « La supériorité des Chinois sur nous vient du fait qu'ils ont dû vraiment combattre. Le malheur pour nous a été d'obtenir l'indépendance sans lutte armée et presque sans effusion sanglante. Pour construire, dans l'histoire, il faut humecter les briques avec du sang... »

Dans l'incident des otages nord-américains, la liturgie ne s'est accomplie que symboliquement. Bien qu'il y ait eu profanation et sacrilège, le sacrifice n'a pas été consommé. Il n'y a pas eu davantage de jugement public : le gouvernement iranien n'a pas exécuté sa menace de juger les diplomates et de châtier ceux qu'on eût reconnu coupables. Il s'agissait, à nouveau, d'un acte liturgique. Etant donné que les révolutions prétendent restaurer l'ordre juste du Commencement, elles ont besoin de recourir à des procédés qui transforment la personne intouchable (roi, prêtre, diplomate) en individu commun et la victime en délinquant. Dans les sociétés primitives, on recourt à la magie pour changer la nature de la victime ; dans les modernes, on utilise le jugement criminel. Voilà ce qui explique les procès de Charles Ier, de Louis XVI et, à notre époque, les jugements contre Boukharine, Radek, Zinoviev et les autres bolcheviks.

Le régime de Khomeyni a transformé les conflits avec les voisins de l'Iran en guerre idéologique et en croisade religieuse. Il a ainsi accompli la Némésis de toutes les révolutions et s'est montré fidèle à la tradition chi'ite de guerre sainte contre les frères sunnites. En 1980, dans la première version de cet essai, j'écrivais ceci : « Le chi'isme est belligérant et, de la même façon qu'il a provoqué la réplique violente des minorités ethniques et religieuses du pays, il tendra fatalement à s'affronter aux autres nations musulmanes de la région. Pour le clergé chi'ite, comme pour les imans de jadis, la religion, la politique et la guerre sont une seule et même chose. Ainsi, la fidélité à la tradition aussi bien que les nécessités de l'heure le pousseront à réinstaurer l'état de guerre endémique qui a caractérisé le monde islamique pendant des siècles. C'est ce que savent, bien mieux que Washington et Moscou, les gouvernements d'Irak, de Syrie et d'Arabie Saoudite. » La guerre avec l'Irak est venue confirmer mes prévisions.

L'Irak est un pays où les dictatures militaires, armées par les Soviétiques et aussi, hélas, par des puissances occidentales, se succèdent depuis des années sous un masque de socialisme panarabe. Au début des hostilités, les « experts » ont misé sur un triomphe rapide de l'Irak face à une nation divisée et saignée à blanc. Pourtant, jusqu'ici, l'Iran a été le vainqueur. La raison de cette fortune n'est pas tant militaire que politique et religieuse : les armées iraniennes sont possédées par une foi. L'abnégation, à nouveau, au service d'une perversion.

Le trait le plus remarquable dans le conflit entre l'Iran

et les Etats-Unis, ce qui le rendait exemplaire, c'était l'incapacité des deux parties à comprendre ce que l'autre disait. Khomeyni ne pouvait comprendre les raisonnements juridiques et diplomatiques des Nord-Américains. Il était possédé par une fureur religieuse et révolutionnaire — les deux adjectifs ne sont pas contradictoires — et le langage de Carter devait lui paraître profane et séculier, c'est-à-dire satanique, inspiré par le diable, père du mensonge. De leur côté, les Nord-Américains ne pouvaient comprendre davantage ce que disaient Khomeyni et ses partisans : pour eux, c'était le langage de la folie. Plusieurs fois, ils ont qualifié les expressions de l'Ayatollah de délires incohérents. Or l'irrationalité et le délire sont, pour la conscience moderne, ce qu'était pour les Anciens la possession démoniaque. Ainsi, il y avait une certaine symétrie entre les attitudes iraniennes et nord-américaines. Carter était possédé par le diable, c'est-à-dire fou ; Khomeyni délirait, c'est-à-dire qu'il était possédé par le Malin. Le langage de Khomeyni est le langage d'autres siècles, tandis que celui des Nord-Américains est moderne. C'est le langage optimiste et rationaliste du libéralisme et du pragmatisme, le langage des démocraties bourgeoises, fières des conquêtes de leurs sciences physiques et naturelles qui leur ont donné le pouvoir sur la nature et sur les autres civilisations. Mais ni la science ni la technique ne peuvent nous sauver des catastrophes naturelles ou historiques. Les Nord-Américains et les Européens doivent apprendre à écouter l'*autre* langage, le langage enterré. Le langage de Khomeyni est archaïque et, en même temps, profondément moderne : c'est le langage d'une résurrection. L'apprentissage de ce langage signifie la redécouverte de cette sagesse qu'ont oubliée les démocraties modernes, mais que les Grecs n'avaient jamais perdue de vue, sauf quand, fatigués, ils se sont oubliés eux-mêmes : la dimension tragique de l'homme. Les résurrections sont terribles ; si les gouver-

nements et les politiciens l'ignorent aujourd'hui, les poètes l'ont toujours su. Ainsi de Yeats :

> somewhere in sands of the desert
> A shape with lion body and the head of a man,
> A gaze blank and pitiless as the sun,
> Is moving its slow thighs, while all about it
> Reel shadows of the indignant desert birds[1]...

1. ... là-bas, dans les sables mouvants du désert,
une forme — corps de lion, tête d'homme —
le regard vide et implacable comme le soleil,
avance, avec des membres lourds ; en haut tournent
des oiseaux les ombres furieuses...

CHAPITRE V

Mutations

Greffes et renaissances

Si je me suis longuement arrêté sur le cas de l'Iran, c'est parce qu'il me semble un signe des temps. La résurrection des traditions nationales et religieuses n'est qu'une manifestation supplémentaire de ce qu'il convient d'appeler la vengeance historique des particularismes. Voilà le véritable thème de cette époque et il sera celui des années à venir. Noirs, Chicanos, femmes, Basques, Bretons, Irlandais, Wallons, Ukrainiens, Lettons, Lituaniens, Estoniens, Tartares, Arméniens, Tchèques, Croates, catholiques mexicains et polonais, bouddhistes, Tibétains, chi'ites de l'Iran et de l'Irak, Juifs, Palestiniens, Kurdes chaque fois assassinés, chrétiens du Liban, Mahrattes, Tamouls, Khmers... Chacun de ces noms désigne une particularité ethnique, religieuse, culturelle, linguistique ou sexuelle. Toutes ces particularités sont des réalités irréductibles et que nulle abstraction ne pourra dissoudre. Nous vivons la rébellion des exceptions, non plus souffertes comme des anomalies ou comme des infractions à une prétendue règle universelle, mais assumées comme une vérité propre, un destin. Le marxisme avait postulé une catégorie universelle, les classes ; avec elles, il ne prétendait pas seulement expliquer l'histoire passée, mais bâtir le futur : la bourgeoisie avait fait le monde moderne et le

121

prolétariat international ferait celui de demain. De leur côté, le positivisme et la pensée libérale ont réduit l'histoire plurielle des hommes à un processus unilinéaire et impersonnel : le progrès, fils de la science et de la technique. Toutes ces conceptions sont teintées d'ethnocentrisme et contre elles se sont dressés les anciens et les nouveaux particularismes. La prétendue universalité des systèmes élaborés en Occident pendant le siècle dernier a été mise en pièces. Un autre universalisme, pluriel, se fait jour.

La résurrection des vieux peuples et de leurs cultures et religions aurait été impossible sans la présence de l'Occident et l'influence de ses idées et de ses institutions. La modernité européenne fut le réactif qui provoqua les secousses des sociétés d'Asie et d'Afrique. Ce phénomène n'a rien de nouveau : l'histoire est faite de l'imposition, des emprunts, des adoptions et des transformations de religions, de techniques et de philosophies étrangères. Dans les changements sociaux, les contacts avec l'étranger sont décisifs. Ceci a été particulièrement vrai en Asie et en Afrique du Nord, sièges de vieilles cultures : en Chine, ce n'est plus le Fils du Ciel qui gouverne, mais le Secrétaire général du Parti communiste ; le Japon est devenu une monarchie démocratique ; l'Inde est une république, l'Egypte en est une autre. Or, si les régimes, les idéologies et les drapeaux ont changé, qu'en est-il des réalités profondes ? Si nous nous penchons, par exemple, sur le sujet des relations entre nations et Etats, que voyons-nous ? Il suffit de relire une œuvre de fiction comme *Kim*, le roman de Kipling, publié en 1901, pour constater que l'histoire servant de toile de fond à l'intrigue romanesque n'est pas très différente de celle d'aujourd'hui : c'est le conflit, dans une vaste région qui va de l'Afghanistan aux Himalayas, entre les ambitions impériales russes et celles de l'Occident. La rivalité entre les Chinois et les Russes a commencé au XVIIᵉ siècle. Depuis le XIIIᵉ siècle, les relations entre la Chine et le Tibet ont été instables et tourmentées : combats, occupations, rébellions. L'inimitié entre Chinois et Vietnamiens remonte au premier siècle avant Jésus-Christ. L'histoire du Cambodge a été une lutte continuelle, depuis le XIVᵉ siècle, avec ses deux voisins : la Thaïlande et le Viêt-nam. Et ainsi de suite. N'y aurait-il donc rien de nouveau ? C'est tout le contraire : la différence entre l'Asie des années 1880 et celle d'aujourd'hui est énorme. Il y a un siècle, les pays asiatiques étaient le théâtre des guerres et des ambitions des puissances européennes ; à présent, ces vieux peuples se sont réveillés, ils ont cessé d'être des objets pour se transformer en sujets de l'histoire.

Le premier signe de changement fut l'affrontement de 1904, où les Japonais défirent les Russes. Depuis lors, le phénomène s'est manifesté sous diverses formes politiques et idéologiques, de la non-violence de Gandhi au communisme de Mao, de la démocratie japonaise à la république islamique de Khomeyni. La grande mutation du XXᵉ siècle n'a pas été la révolution du prolétariat des pays industriels occidentaux, mais la résurrection de civilisations qui semblaient pétrifiées : le Japon, la Chine, l'Inde, l'Iran, le monde arabe. Au contact brutal mais vivifiant de l'impérialisme européen, elles ont ouvert les yeux, se sont relevées et remises en marche. Aujourd'hui, ces nations s'affrontent à un problème identique qu'elles tentent de résoudre chacune à sa façon : la modernisation. La première à l'avoir résolu est le Japon. Et le plus remarquable, c'est que sa version de la modernité n'a pas détruit sa culture traditionnelle. Par contre, l'erreur du Shah fut d'essayer de moderniser par le haut, en écrasant les usages et les sentiments populaires. La modernisation ne signifie pas l'imitation mécanique des Etats-Unis et de l'Europe : moderniser, c'est adopter et adapter. C'est aussi recréer.

La réussite japonaise a été exceptionnelle : en 1868, au début de la période Meiji, le pays a décidé de se moderniser et, un demi-siècle plus tard, il représentait déjà une puissance politique et militaire. La modernisation la plus difficile, celle de la politique, a été réalisée plus lentement et non sans retours en arrière. Au cours de ce processus qui a duré près d'un siècle, le Japon a souffert des trois maladies des sociétés modernes occidentales : le nationalisme, le militarisme et l'impérialisme. Après leur déroute à la fin de la Seconde Guerre mondiale et le bombardement criminel des Nord-Américains à Hiroshima et à Nagasaki, les Japonais ont reconstruit leur pays et, en même temps, ils en ont fait une démocratie moderne. L'expérience des Japonais est unique tant par la vitesse avec laquelle ils ont assimilé les sciences, les techniques et les institutions occidentales que par la façon originale et ingénieuse dont ils les ont adaptées au génie du pays. Naturellement, la transition d'une époque à l'autre a provoqué des conflits et des déchirures, aussi bien dans le tissu social que dans les âmes individuelles. On trouve en abondance des romans, des essais et des études sociales et psychologiques sur ce thème. Pourtant, aussi profonds qu'aient été les changements sociaux et les bouleversements psychiques, le Japon n'a pas perdu sa cohésion ni les Japonais leur identité. En outre, il y a dans la tradition japonaise d'autres exemples d'emprunts à l'étranger assimilés et recréés avec bonheur par le génie du peuple. On peut même dire que la tradition japonaise, depuis le VIIe siècle, est un ensemble d'idées, de techniques et d'institutions étrangères, chinoises avant tout — comme l'écriture, le bouddhisme, la pensée morale et politique de Confucius et de ses disciples — mais transposées et transformées en créations originales, authentiquement japonaises. L'histoire du Japon confirme l'avis d'Aristote : toute véritable création commence par une imitation.

A l'exact opposé du Japon, il y a l'Inde. Contrairement au pays du Soleil-Levant, nation parfaitement cons-

124

tituée, l'Inde est un ensemble de peuples, chacun d'eux possédant sa langue, sa culture et sa propre tradition. Avant la domination anglaise, l'Inde n'avait pas connu de véritable Etat national. Les grands empires du passé — les Maurya, les Gupta, les Mongols — n'ont pas gouverné sur tout le sous-continent et n'ont pas été vraiment nationaux. Dans les idiomes du nord de l'Inde, on ne trouve pas un mot désignant la réalité historique qui, dans les langues occidentales, dénote l'idée de nation. L'unité des peuples de l'Inde n'était pas politique, mais religieuse et sociale : l'hindouisme et le système des castes. C'est pourquoi on a pu dire de l'Inde qu'elle n'est pas une nation, mais une civilisation. Le fondement de la société indienne est indo-européen. Voilà le fait essentiel et définitif : l'hindouisme, cet ensemble de croyances et de pratiques qui, depuis plus de trois mille ans, a imprégné les Indiens et leur a donné l'unité et la conscience d'appartenir à une communauté plus vaste que leurs nations particulières, l'hindouisme est d'origine indo-aryenne. La langue sacrée et philosophique est également indo-européenne : le sanskrit. Et c'est encore vrai du système des castes qui représente une modification de la division tripartite de la religion, de la pensée, de la culture et de la société chez les anciens Indo-Européens, ainsi que l'a montré, dans son immense savoir, Georges Dumézil, d'une façon brillante et profonde. Je souligne que la division quadripartite des castes indiennes n'est pas un changement, mais une modification (par addition) du système originel aryen. Pour toutes ces raisons, il est permis de dire que l'Inde, entre l'Extrême-Orient et l'Asie occidentale, est « l'autre pôle de l'Occident, l'*autre* version du monde indo-européen » ou, plus exactement, son image inversée[1].

1. J'ai abordé le thème de l'opposition symétrique entre l'Occident et la civilisation indienne dans *Courant alternatif* (1972) et dans

Face aux deux autres grandes communautés indo-européennes — l'iranienne et l'européenne proprement dite —, l'Inde est doublement originale. D'une part, c'est en elle qu'apparaissent, quasi intactes, beaucoup d'institutions et d'idées originelles des Indo-Européens, avec une sorte d'immobilité qui, si elle n'est pas celle de la mort, ne relève pas non plus de la véritable vie. D'autre part, contrairement aux Européens et aux Iraniens, l'Inde polythéiste a vécu depuis huit siècles dans une coexistence difficile avec un monothéisme sévère et intransigeant, l'islam. En Europe, le christianisme a réussi une synthèse entre l'antique paganisme indo-européen — avec ses dieux, sa vision de l'être et de l'univers comme des réalités suffisantes — et le monothéisme juif et son idée d'un Dieu créateur. Sans la synthèse du catholicisme romain et sans la critique issue de cette synthèse, commencée à la Renaissance et à la Réforme et continuée jusqu'au XVIIIe siècle, la carrière prodigieuse de l'Occident n'aurait pas été possible. Nous

Conjonctions et Disjonctions (1971). Dans ces deux mêmes livres, j'ai exploré un peu les ressemblances et les antagonismes entre la pensée traditionnelle indienne et celle de l'Occident (notamment les notions d'être, de substance, de temps, d'identité, de changement, etc.). Je me suis penché sur le système des castes dans *Claude Lévi-Strauss ou le nouveau festin d'Esope* (1970), ainsi que dans les deux livres cités et dans une note assez longue de *Point de convergence* (1976)*. Pour revenir à l'hindouisme, bien qu'il descende, de façon directe et essentielle, de l'antique religion védique, qui était indo-européenne, je n'ignore pas les traces de croyances dravidiennes qu'on y décèle, comme le culte de la Grande Déesse et celui d'un proto-Shiva.

Je signalerai en outre l'insuffisance de la formule qui définit l'Inde non pas comme une nation, mais comme une civilisation. En réalité, deux civilisations coexistent (et se querellent) dans le sous-continent : l'hindoue et l'islamique, sans compter les vestiges encore vifs des cultures primitives et la présence de cultures intermédiaires comme celle des Sikhs, qui doit autant à la tradition hindoue qu'à celle de l'islam.

[* Les dates sont celles des traductions françaises chez Gallimard. *(N.d.T.)*]

devons à la pensée critique européenne l'introduction progressive des idées de l'histoire comme changement successif et comme progrès, les suppôts idéologiques de l'action de l'Occident à l'Age Moderne. En Iran, le monothéisme sémitique a également triomphé, mais dans sa version islamique. La synthèse iranienne a été moins féconde que la chrétienne, tant par le fait du caractère exclusiviste de l'islam que parce que la tradition iranienne était moins riche et complexe que la gréco-romaine. L'ancien fond iranien n'a été recueilli qu'en partie par l'islam ; le reste a été plutôt occulté et réprimé. L'Iran n'a pas connu un mouvement comparable à la Renaissance européenne qui a été, simultanément, un retour à l'antiquité païenne et le début de la modernité.

A l'inverse de l'Europe, l'Inde n'a pas connu l'idée de l'histoire ni celle du changement. Certes, il y a eu des changements en Inde, mais le pays ne les a pas pensés, il ne les a pas intériorisés. Sa vocation fut la religion et la métaphysique, non pas l'action historique ni la domination des forces de la nature. De la même façon, contrairement à la situation en Iran, l'hindouisme a cohabité avec le monothéisme islamique, mais sans vivre réellement avec lui : il ne s'est pas converti à sa foi, pas plus qu'il n'a pu l'assimiler. Voilà, à mon sens, la racine des évolutions différentes de l'Inde et des deux autres grandes zones indo-européennes.

Le résultat est sous nos yeux : en 1974, l'Inde comptait cinq cent cinquante millions d'habitants, dont douze pour cent au moins de musulmans, soit un peu plus de soixante-cinq millions. Mais la proportion est trompeuse, car il faudrait tenir compte des deux pays qui se sont séparés de l'Inde, mais qui par la langue, la culture et l'histoire sont également indiens : les quatre-vingt-douze du Bangladesh et les quatre-vingt-dix du Pakistan, c'est-à-dire plus de deux cents cinquante millions de musulmans — un chiffre énorme[1]. L'indépendance du sous-continent indien a coïncidé avec la partition sanglante du Pakistan ; fondamentalement, cette division a ratifié la coexistence impossible entre les hindous et les musulmans. Cela a donné lieu à d'horribles massacres et des populations entières ont été déportées. La cause historique de ce désastre — une plaie encore vive — est celle que j'indiquais plus haut : l'Inde n'a pas connu de synthèse comme celle du catholicisme romain en Europe ni l'absorption d'une religion par une autre, comme en Iran.

Depuis 1947, la politique extérieure de l'Inde obéit à l'obsession politico-religieuse de son conflit avec le Pakistan. Il en arrive de même chez les Pakistanais. Mais, s'agit-il réellement de *politique extérieure* ? La rivalité a surgi quand il n'existait encore ni Etat indien ni Etat pakistanais ; c'était une lutte religieuse et politique entre deux communautés à l'intérieur d'une même société et qui parlaient la même langue, partageaient la même terre et la même culture. Il n'est pas exagéré d'avancer que le conflit entre l'Inde et le Pakistan a été et reste une guerre civile qui a commencé comme une guerre religieuse. L'occupation d'une partie du Cachemire par l'Inde, l'amitié du Pakistan d'abord avec les Etats-Unis, avec la Chine ensuite, les gestes amicaux de l'Inde envers la Russie, les déviations de sa politique de neutralité, son adhésion à plusieurs résolutions déplorables de l'Organisation des Pays non alignés, ainsi que sa politique hypocrite face à l'occupation du Cambodge par les troupes vietnamiennes et l'intervention soviétique en Afghanistan — tout cela n'est rien d'autre que le conflit entre deux factions politico-religieuses. Il est déjà trop tard, sans doute, pour unir ce qui a été séparé, mais il ne l'est pas pour créer une sorte de fédération entre les trois

1. Estimations de 1983.

Etats qui garantisse la coexistence des deux communautés. La lutte entre les Indiens et les Pakistanais, tout comme la guerre entre les Arabes et les Juifs, dément une fois de plus la prétendue rationalité de l'histoire.

En dépit de son traditionalisme, l'Inde s'est aussi montrée capable d'assimiler et de transformer des idées et des institutions venues d'ailleurs. Le mouvement de Gandhi, à la fois spirituel et politique, a représenté une des grandes nouveautés historiques de notre siècle. Les origines de ce mouvement se confondent avec l'histoire du Parti du Congrès de l'Inde, un groupement né de l'implantation par l'Angleterre des idéaux démocratiques dans le sous-continent et à la fondation duquel, en 1885, un théosophe écossais (A.D. Hume) a participé de façon décisive. Mais l'action politique de Gandhi est inséparable de ses idées religieuses. Nous y trouvons une combinaison impressionnante d'éléments hindous et européens. Le fondement de sa pensée est le spiritualisme hindou, surtout la *Bhagavad Gîtâ* ; en outre, il y a le vichnouisme de son enfance, légué par sa mère et imprégné de jaïnisme (d'où procède la non-violence contre tout être vivant, quel qu'il soit : *ahimsa*) ; enfin, le christianisme tolstoïen et le socialisme fabien. La composante essentielle est l'hindouisme, bien qu'il soit significatif que Gandhi ait lu la *Gîtâ* pour la première fois dans la traduction anglaise d'Arnold. Et il n'est pas moins significatif que l'assassin de Gandhi ait fait partie d'un groupe fanatique inspiré précisément de la *Gîtâ*. Lectures différentes d'un même texte[1]... Un autre trait définit bien la relation particulière de Gandhi avec la tradition hindoue : par ses idées et ses pratiques religieuses, il a été un véritable *sanyasi* et, dans son autobiographie, on lit ceci : « Ce que j'ai cherché et cherche encore, c'est

---

1. Le discours de Krishna pour dissiper les doutes et les craintes d'Arjuna avant la bataille est une vision de la guerre comme accomplissement du *dharma* (loi, principe) du guerrier.

voir Dieu face à face. » Pourtant, il n'a pas cherché Dieu dans la grotte de l'ermitage isolé du monde ou dans la vie solitaire, mais bien parmi les foules et dans les discussions politiques. Il a cherché l'absolu dans le relatif, Dieu parmi les hommes. Ainsi a-t-il uni les traditions hindoue et chrétienne.

Devant les tactiques et les techniques des politiciens occidentaux, fondées presque toujours sur les astuces de la propagande, ainsi que face à la politique des violents — tout ce qui peut aider la Révolution, disait Trotsky, est bon et moral — Gandhi a proposé un nouveau type d'action : *satyagraha*, fermeté dans la vérité et non-violence. Cette politique a été parfois taxée de chimérique ; d'autres y ont vu de l'hypocrisie. Aussi bien les marxistes que les réalistes et les cyniques de la droite, tous à l'unisson ont accumulé les sarcasmes et les invectives contre Gandhi et ses disciples. Pourtant, il est indéniable que Gandhi a pu remuer des foules immenses et que, pour citer un cas récent et bien connu, le mouvement de Martin Luther King contre la discrimination raciale, inspiré des méthodes de Gandhi, a ému et secoué les Etats-Unis. Einstein lui-même pensait que seul un mouvement universel ayant recueilli la leçon de non-violence de Gandhi pourrait obliger les grandes puissances à renoncer à l'usage des armes nucléaires. On dira, non sans raison, que le mouvement de Gandhi a pu se déployer et aboutir parce que le Gouvernement anglais, impérialiste ou non, respectait les libertés et les droits de l'homme. Un Gandhi aurait-il été possible dans l'Allemagne hitlérienne ? Aujourd'hui même, un Gandhi pourrait-il se faire entendre en Chine, en Russie, en Afrique du Sud ou au Paraguay ? Tout cela est vrai, mais il est également certain que le gandhisme a été le seul mouvement capable d'opposer une attitude civilisée et *efficace* à la violence universelle déchaînée par les dictateurs et les idéologies de notre siècle. C'est une semence du salut, tout comme la tradition libertaire. Le sort final de ces deux courants est lié à celui de la démocratie.

Deux autres grandes réussites politiques de l'Inde moderne sont, d'une part, la préservation de l'Etat national et, de l'autre, la sauvegarde de la démocratie. L'un et l'autre sont des institutions transplantées par les Anglais dans le sous-continent et que les Indiens ont adaptées au génie de leur pays. Par la présence de l'Etat national, l'Inde est déjà une nation ; par le maintien de la démocratie, elle a démenti tous ceux qui considèrent le système démocratique comme une pure excroissance du capitalisme libéral. J'ai eu l'occasion de voir voter les foules indiennes, pauvres et analphabètes : c'est un spectacle qui redonne espoir en l'humanité. Tout le contraire du spectacle des troupeaux qui crient et vocifèrent sur les stades en Occident et en Amérique latine... Certes, la démocratie politique de l'Inde contraste avec la pauvreté de son peuple et les terribles inégalités sociales. Nombreux sont ceux qui se demandent s'il n'est pas déjà trop tard pour abolir la misère : la croissance démographique semble faire pencher la balance définitivement de l'autre côté. Je me refuse à le croire ; le peuple qui nous a donné le Bouddha et Gandhi, qui a découvert la notion du zéro en mathématiques et la non-violence en politique, peut trouver ses propres voies de développement économique et de justice sociale. Mais si l'Inde échouait, sa défaite présagerait celle d'autres pays, comme le nôtre, le Mexique, qui n'ont pas su équilibrer les taux de croissance économique et démographique. La domination britannique avait doté l'Inde, pour la première fois, d'institutions qui englobaient les différentes nations et cultures : l'Armée, l'Administration publique et un régime de justice pour tous. (Jusque-là, chaque communauté et chaque groupe était régi par des lois et des statuts particuliers.) A ces diverses institutions, il faut ajouter la naissance d'une classe intellectuelle supranationale, éduquée en Angleterre ou qui avait assimilé la culture européenne dans les universités et les collèges de l'Inde. Cette classe a été le guide et l'inspiratrice de la lutte pour l'Indépendance. L'Etat indien a été le successeur du *British Raj* et il a hérité de ses institutions, même si le fondement de sa légitimité ne pouvait être plus différent de celui du régime anglais : le consensus démocratique des peuples de l'Inde. Or, peut-on dire à proprement parler qu'il existe un Etat *national* indien ? Cette question devient angoissante quand on songe au processus sanglant du mouvement des Sikhs : le terrorisme criminel des extrémistes, l'occupation violente du sanctuaire d'Amritsar qui a entraîné tant de morts, l'assassinat d'Indira Gandhi et les massacres de Sikhs à Delhi et dans d'autres villes par une plèbe démente poussée par des démagogues. Tout comme le *British Raj*, l'Etat indien doit être un Etat supranational. Pourtant, à la différence du premier, il ne doit pas se fonder sur la domination, mais sur le consensus des différentes communautés. Le legs de Nehru — ainsi que d'Indira Gandhi, au-delà des polémiques que sa politique a suscitées — consiste avant tout dans la préservation de ce consensus. Si le processus de division et de scission devait s'accentuer, l'Inde deviendrait un autre champ de bataille des grandes puissances. Préserver son unité, c'est préserver son indépendance — sauvegarder la paix.

Les anciens Chinois appelaient leur pays le Royaume du Milieu. Ils avaient raison. Bien que la Chine ne soit ni géographiquement ni politiquement au centre du monde, elle est bien ce qu'on peut appeler un pays central. Aujourd'hui déjà, son influence est décisive et elle le sera de plus en plus. La Chine est ce qu'elle est depuis plus de trois mille ans. Sa continuité est à la fois territoriale, ethnique, culturelle et politique. La Chine a souffert des invasions et des occupations — mongoles, mandchoues, japonaises —, elle a connu des périodes de splendeur et d'autres de décadence, elle a éprouvé de violents changements sociaux et, malgré tout, elle n'a jamais cessé d'être un Etat. Je donnerai quelques exemples pour illustrer cette admirable continuité. Le premier est d'ordre linguistique. Dans le vocabulaire philosophique et politique de la Chine, il n'y avait pas de concept désigné par le mot Révolution, dans le sens que l'Occident a donné à ce terme depuis la Révolution française : changement violent d'un système par un autre. Ce qui ressemblait le plus à Révolution, en chinois, c'était l'expression *Kouo-min*. Mais *Kouo-min* signifiait en fait changement de nom ou encore changement de mandat, ce qui voulait dire, par extension, changement de dynastie ou de maison régnante (Changement de Mandat du Ciel). Au début du siècle, le grand leader républicain Sun Yat-sen a décidé d'utiliser le mot *Kouo-min* comme synonyme de Révolution et c'est de cette façon qu'est né le Kouo-min-tang, le parti qui devait être, par la suite, destitué par les communistes. Ainsi, l'expression même qui désigne le concept de changement révolutionnaire est imprégnée de traditionalisme.

Un autre exemple est Mao Tsé-toung. Il ne ressemble à aucune des figures révolutionnaires occidentales : ni à Olivier Cromwell ou Robespierre, ni à Lénine ou Trotsky. Il ressemble plutôt à Houang-ti, surnommé le Premier Empereur car, avec lui, à la fin du IIe siècle avant Jésus-Christ, une époque se termine et une autre commence. Le même phénomène s'est donc répété, des siècles plus tard, avec Mao : fin d'une période et début d'une autre. L'œuvre du Premier Empereur fut continuée par ses successeurs, mais dépouillée de son radicalisme, autrement dit adaptée à la réalité, humanisée. En même temps, la mémoire de Houang-ti a été maudite, exécrée. Ce que nous avons pu voir ces dernières années nous montre que la figure et l'œuvre de Mao subissent déjà le même destin.

Un troisième exemple nous est donné par les mandarins, ce groupe social qui a régi l'empire pendant deux mille ans et qui présente plus d'un trait commun avec le groupe qui dirige à présent la Chine : le parti communiste. Les mandarins ne constituaient nullement une bureaucratie de technocrates, spécialisés dans les questions économiques, industrielles, commerciales ou agricoles : c'étaient des experts dans l'art de la politique et qui tentaient de mettre en pratique la philosophie politique de Confucius. Les communistes chinois sont également experts en matière de politique. Le contenu a changé, mais la forme et la fonction se perpétuent. Curieuse contradiction : en attaquant Confucius, les communistes ont souligné la continuité de la tradition.

La révolution culturelle est un autre exemple de cette alliance entre changement et continuité. La critique déchaînée par Mao contre la bureaucratie communiste pendant la révolution culturelle est sans précédent dans l'histoire des partis marxistes en Occident. Par contre, elle rappelle fortement l'anarchisme philosophique et politique qui caractérise le courant intellectuel rival du confucianisme : le taoïsme. Périodiquement, la Chine a été secouée par des révoltes populaires qui s'inspiraient presque toujours de l'esprit libertaire du taoïsme et qui s'en prenaient à la caste des mandarins et à la tradition de Confucius. Par son attaque violente de la culture formaliste et de la bureaucratie, de même que par son éloge de la spontanéité populaire, la révolution culturelle peut être interprétée comme un nouvel avatar du tempérament taoïste dans la Chine moderne. Les gardes rouges rappellent étrangement les Turbans Jaunes du IIe siècle ou les Turbans Rouges du XIVe.

Il est difficile de savoir au juste quelles étaient les raisons qui ont poussé Mao à déchaîner la « révolution culturelle ». Une raison déterminante était probablement son conflit avec le Président Liou Sao-ch'i et les autres dirigeants communistes qui, suite à l'échec de sa politique économique, l'avaient éloigné du pouvoir. Mao a répliqué en ouvrant les vannes de la colère populaire jusque-là contenue. Etrange spectacle et qui a démenti, de nouveau, aussi bien les prédictions du marxisme-léninisme que les spéculations des experts occidentaux : un vieillard prenant la tête d'une révolte juvénile, un marxiste-léniniste lançant une attaque contre l'expression la plus parfaite de la doctrine du parti comme « avant-garde du prolétariat » : le Comité Central et ses fonctionnaires.

La révolution culturelle a ébranlé la Chine car elle correspondait à la fois aux aspirations contemporaines de la société chinoise et à sa tradition libertaire. Une fois de plus, il ne s'agit pas d'une révolution au sens moderne et occidental, mais d'une révolte. Le mouvement a dépassé les prévisions de Mao. Bien plus, il était sur le point de faire couler le régime sous l'assaut répété des vagues anarchiques. Pour contenir les gardes rouges, Mao a dû faire marche arrière, s'appuyer sur Lin Piao et l'armée. Ensuite, pour se défaire de Lin Piao, il a été contraint de pactiser avec l'aile modérée et de faire appel à Chou En-lai. Cette politique du zigzag montre bien que Mao, plus qu'un Grand Timonier, était un politicien habile et tortueux. Il est parvenu à conserver le pouvoir, mais à quel prix, et tous ces soulèvements n'ont pas seulement été stériles, mais nocifs. Le culte de Mao a dégradé la vie politique et intellectuelle de la Chine ; ce qu'il a fait pendant ses dernières années semble nimbé de l'irréalité d'un cauchemar paranoïaque. De son vivant, on l'a couvert de louanges délirantes et comparé aux plus grands de l'histoire. Maintenant, nous savons qu'il ne fut pas Alexandre, encore moins Marc Aurèle et pas même Auguste. Sa figure fait déjà partie de la galerie des monstres de l'histoire.

Sous la direction de Deng Xiaoping, le gouvernement chinois a entrepris la démolition de l'ancienne idole. Comme dans la succession de Che Houang-ti, le groupe au pouvoir doit faire face à une double tâche : changer le régime en le conservant. Le programme de modernisation de Mao était d'une cruelle fantaisie ; Deng, plus sensé, se propose de mener à bien les quatre modernisations préconisées par Chou En-lai : l'agriculture, l'industrie, la défense, la science et la technologie. Avec ses ressources naturelles, sa population et sa volonté politique, la Chine a tout ce qu'il faut pour se transformer en nation moderne. Tout au long de leur histoire, les Chinois ont fait preuve d'une grande capacité scientifique et technique : ils ont découvert aussi bien la poudre à canon que l'imprimerie et la boussole. Même si cette tradition s'est paralysée pendant plusieurs siècles, suite à des circonstances historiques adverses, le génie créateur chinois ne s'est pas éteint. Les Chinois sont un peuple industrieux, tenace, sobre et travailleur.

La modernisation signifie l'adoption et l'adaptation de la civilisation occidentale, surtout en matière de science et de technique. Les Chinois ont bâti une civilisation originale, fondée sur des principes très différents de ceux qui règnent en Europe. Cependant, la civilisation chinoise traditionnelle ne sera pas un obstacle à la modernisation. Voici quelque temps, la revue anglaise *The Economist* signalait que tous les pays influencés par la Chine, c'est-à-dire formés par la pensée politique et morale de Confucius, se sont modernisés plus rapidement que les pays islamiques et que de nombreuses nations catholiques. C'est en effet le cas du Japon, de T'ai-wan, de Singapour, de la Corée du Sud et de Hong Kong. Et la revue d'ajouter : « Si les quatre modernisations réussissent, les miracles de la Corée du Sud et de Singapour sembleront des taches solaires comparés au soleil de la Chine »[1]. Dans la tâche de modernisation de cet immense pays, les contributions des Etats-Unis et de l'Europe occidentale seront déterminantes. Mais il y a encore une autre donnée, un fait destiné à modifier non

---

1. A la lumière de ces expériences, il conviendrait de relire — et de rectifier — l'essai consacré par Max Weber au confucianisme dans sa relation avec la modernité.

seulement l'histoire de l'Asie, mais celle du monde : la collaboration entre Japonais et Chinois. Au début du siècle, dans une œuvre de fiction qui était une anticipation politique et philosophique, Soloviev prévoyait une collaboration entre la technique japonaise et la main-d'œuvre chinoise. La fantaisie du philosophe russe se transformera sans doute en réalité à la fin de ce millénaire.

Je suis certain que le passé chinois ne fera pas obstacle à la modernisation du pays, pas plus que ne l'ont fait le passé du Japon et celui des autres nations marquées par l'influence chinoise. Et le communisme ? En Russie, ses effets ont été contradictoires : il a mené à terme l'industrialisation du pays, mais, sous d'autres aspects, il l'a fait reculer. Le sinologue Simon Leys, auteur d'essais perspicaces sur Mao et son régime, pense que les Chinois seront capables de faire avec le marxisme ce qu'ils ont fait jadis avec le bouddhisme : l'assimiler, le changer et le convertir en création propre. Pourquoi pas ? Le génie chinois est pragmatique, imaginatif, flexible et nullement dogmatique. Dans le passé, il est parvenu à une synthèse entre le puritanisme de Confucius et l'anarchisme poétique de Lao Tseu et de Tchouang-tseu : donnera-t-il demain au monde une version moins inhumaine du communisme ? Dans ce cas, il faudrait que le gouvernement de Pékin entreprenne maintenant même la *cinquième modernisation* réclamée par le dissident Wei Jin-sheng : la voie démocratique.

Ce que nous appelons *modernité* est né avec la démocratie. Sans démocratie, il n'y aurait ni science, ni technologie, ni industrie, ni capitalisme, ni classe ouvrière, ni classe moyenne ; bref, il n'y aurait pas de modernité. Bien sûr, on peut construire, sans démocratie, une grande machine politique et militaire comme celle de l'Union soviétique. Mais le coût social qu'a dû payer le peuple russe a été douloureux et, par ailleurs, la modernisation sans démocratie *technifie* les sociétés sans les changer. Ou plutôt : elle les transforme en sociétés pétrifiées, en sociétés de castes hiérarchiques. Le cas de la Chine est particulièrement difficile car, dans son histoire, on ne trouve rien qui s'apparente à la démocratie. Durant des millénaires, la Chine a été gouvernée par un système duel : d'une part, l'Empereur avec sa cour et l'armée ; de l'autre, la caste des mandarins. L'alliance entre le trône et les mandarins était une alliance instable, souvent rompue mais chaque fois renouée. Bien que la révolution communiste ait changé beaucoup de choses, le système duel s'est maintenu : d'un côté, Mao, c'est-à-dire l'Empereur et sa suite ; de l'autre, le Parti communiste, réincarnation des anciens mandarins. Une alliance non moins instable que l'autre, comme l'a prouvé la Révolution culturelle. Ces antécédents signifieraient-ils que la Chine n'est pas faite pour la démocratie ? Non, je crois que la démocratie est une forme politique universelle qui peut être adoptée par tous, à condition que chaque peuple l'adapte à son génie. Si la Chine s'orientait vers la liberté, elle ouvrirait une ère nouvelle dans l'histoire moderne. Mais il est vrai que ni l'idéologie ni les intérêts des groupes dominants ne permettent d'espérer que le régime entreprenne la modernisation la plus ardue, la seule pourtant qui en vaille la peine : la modernisation morale et politique. Cependant, je ne cache pas mon espoir : mon amour et mon admiration pour la pensée, la poésie et l'art de ce pays sont plus forts que mon scepticisme.

Perspective latino-américaine

Aucun Latino-Américain ne peut être insensible au processus de modernisation en Asie et en Afrique. A l'inverse des Japonais et des Chinois, qui ont fait le saut vers la modernité à partir de traditions non occidentales, nous autres, par la culture et par l'histoire, nous sommes les descendants d'une branche de la civilisation où est né cet ensemble d'attitudes, de techniques et d'institutions appelé modernité. A ceci près que nous descendons des cultures espagnole et portugaise, qui se sont éloignées du courant général en Europe précisément quand la modernité voyait le jour. Pendant les XIXe et XXe siècles, le continent latino-américain a adopté une suite de projets de modernisation, toujours calqués sur l'exemple nord-américain et européen, mais, jusqu'à ce jour, aucun de nos pays ne peut être appelé véritablement *moderne*. Cela n'est pas seulement vrai des nations où le passé indien est encore vivace — le Mexique, le Guatemala, le Pérou, l'Equateur, la Bolivie — mais aussi des pays qui sont quasi entièrement d'origine européenne, comme l'Argentine, l'Uruguay et le Chili. Du reste, l'Espagne et le Portugal eux-mêmes ne sont pas pleinement modernes. Dans tous nos pays, on voit coexister le voyage à dos d'âne et l'avion, l'analphabète et le poète d'avant-garde, les cabanes et les aciéries. Toutes ces contradictions culminent en ceci : nos constitutions sont démocratiques, mais la vraie réalité omniprésente est la dictature. Notre réalité politique résume la modernité contradictoire de l'Amérique latine.

Nos peuples ont choisi la démocratie parce qu'il leur semblait qu'elle était le chemin vers la modernité. En vérité, c'est tout le contraire : la démocratie n'est pas la voie, mais le résultat de la modernité, le bout du chemin. Les difficultés que nous avons éprouvées pour implanter le régime démocratique sont un des effets, le plus grave peut-être, de notre modernisation partielle et défectueuse. Mais nous n'avons pas fait fausse route en choisissant ce système de gouvernement : malgré ses énormes défauts, c'est le meilleur de tous ceux que les hommes aient inventés. Mais là où nous nous sommes trompés, c'est dans la méthode choisie pour y arriver, car nous nous sommes bornés à imiter les modèles étrangers. La tâche qui attend les Latino-Américains et qui requiert une imagination à la fois audacieuse et réaliste, consiste à trouver dans nos traditions ces racines et ces germes — ils y sont — permettant de faire surgir et de nourrir une démocratie authentique. C'est un travail urgent et nous avons juste le temps de l'entreprendre. Voici ce qui justifie mon avertissement : l'alternative traditionnelle en Amérique latine — la démocratie ou la dictature militaire — commence à ne plus être de vigueur. Ces dernières années, un troisième terme est apparu : la dictature bureaucratico-militaire que, par une colossale méprise historique, nous appelons « socialisme ».

Pour faire comprendre plus précisément les termes de l'alternative historique devant laquelle sont placés nos peuples, je ne puis guère que répéter brièvement une partie de l'analyse que je développe dans un autre essai, « L'Amérique latine et la démocratie », repris dans ce même volume. L'instabilité politique de nos pays a commencé au lendemain de l'Indépendance. Malheureusement, les historiens n'ont pas sondé les causes de cette instabilité ou bien ils en ont donné des explications sommaires. De toute façon, il est clair que les agitations et les coups d'Etat militaires en Amérique latine correspondent aux violences et aux troubles en Espagne et au Portugal depuis le XIXe siècle. Tout cela fait partie d'un passé qui ne veut pas s'en aller ; la modernisation signifie l'abolition de ce passé. Bien que les Etats-Unis n'aient pas créé cette instabilité, il est indéniable qu'ils en ont profité depuis le début. Plus encore : ils l'ont fomentée. Sans cette instabilité, peut-être leur domination n'aurait-elle pas été possible. Une autre conséquence de l'hégémonie nord-américaine est qu'elle nous a soustraits, pour ainsi dire, de l'histoire universelle. Pendant la domination hispano-portugaise, nos pays ont vécu en marge du monde, dans un isolement qui a été fatal pour notre éducation politique, ainsi que l'a souligné l'historien O'Gorman. Depuis lors, nous sommes des peuples repliés sur eux-mêmes, comme les Mexicains, ou avides de nouveautés étrangères, comme les Argentins. L'hégémonie nord-américaine nous a isolés à nouveau : le problème central de nos chancelleries était de trouver la meilleure manière de gagner l'amitié de Washington ou d'éviter ses ingérences. La doctrine Monroe[1] a été le rideau séparant l'Amérique latine du reste du monde.

En dépit des *pronunciamientos* et des dictatures, la démocratie a toujours été considérée, depuis l'Indépendance, comme la seule et unique légalité constitutionnelle des nations latino-américaines, c'est-à-dire comme leur légitimité historique. Dans la bouche des dictateurs eux-mêmes, les dictatures sont des interruptions de la légitimité démocratique. Les dictatures représentent donc un état transitoire, alors que la démocratie constitue la réalité permanente, même si c'est une réalité idéale ou réalisée de façon incomplète et imparfaite. Le régime cubain n'a pas tardé à se profiler comme un processus différent des dictatures traditionnelles. Bien que Castro soit un chef militaire dans la plus pure tradition du caudillisme latino-américain, c'est également un dirigeant communiste. Son régime se présente comme la nouvelle légitimité révolutionnaire. Cette légitimité ne se substitue pas seulement à la dictature militaire *de facto*, mais à l'ancienne légitimité historique : la démocratie représentative avec son système de garanties individuelles et de défense des droits de l'homme.

Pour bien faire entendre en quoi consiste cette nouveauté, il me faut insister sur un point que j'ai signalé plus haut : les dictatures militaires latino-américaines n'ont jamais prétendu remplacer définitivement le régime démocratique et se sont toujours présentées comme des gouvernements transitoires d'exception. Je ne prétends pas absoudre les dictatures ; plus d'une fois,

---

1. Dont la formule était : « L'Amérique aux Américains » ; entendons « aux Nord-Américains ». *(N.d.T.)*

je les ai condamnées. Mais j'essaie de définir leur singularité historique. Le régime cubain, par contre, se présente comme une nouvelle légitimité se substituant de façon permanente à la légitimité démocratique. Cette innovation n'est pas moins importante que la présence russe à Cuba : elle bouleverse les perspectives traditionnelles de la pensée politique en Amérique latine et l'affronte à des réalités qui, voici seulement une génération, auraient semblé impensables.

Grâce à l'instauration du régime castriste à Cuba et au terme d'une série de hasards, parmi lesquels le plus décisif a été l'arrogance et l'aveuglement du gouvernement des Etats-Unis, le pouvoir soviétique, sans même l'avoir cherché, a obtenu, comme un cadeau de l'histoire, une base politique et militaire en Amérique. Avant l'entrée de Cuba dans l'orbite soviétique, la politique indépendante du régime révolutionnaire face à Washington avait suscité l'admiration et la ferveur quasi unanime des peuples d'Amérique latine et l'amitié de nombreux autres pays. En outre, on oublie fréquemment que les révolutionnaires cubains ont également conquis la sympathie d'une bonne partie de l'opinion publique nord-américaine, en dépit du fait que Washington avait longtemps soutenu la dictature cruelle et médiocre de Batista. Se souvenant sans doute de leurs interventions au Guatemala, à Saint-Domingue et au Nicaragua, les Etats-Unis ont adopté une politique à la fois dédaigneuse et hostile. C'est alors que Castro a cherché l'amitié de Moscou. Naturellement, les fautes et les erreurs des gouvernements de Washington n'autorisent nullement à parler d'une victoire « socialiste » de Castro sur Batista. Les classiques du marxisme avaient une tout autre idée sur ce que devait être une révolution socialiste.

Au-delà des problèmes posés par le caractère du mouvement de Castro et par la nature historique de son régime, les Nord-Américains récoltent maintenant les

142

fruits de leur manque d'habileté — le véritable terme est l'insensibilité — qui leur interdit de comprendre la réalité nouvelle et changeante de l'Amérique latine. Non seulement ils ont été contraints d'accepter l'existence, à quelques kilomètres de leurs côtes, d'un régime ouvertement allié à Moscou, mais ils n'ont pas su empêcher les troupes cubaines d'intervenir en Afrique, armées par l'Union soviétique, ni Castro de lancer de fréquentes offensives diplomatiques contre leurs intérêts. L'installation du régime castriste à Cuba serait-elle un signe du commencement du déclin de l'hégémonie nord-américaine ? On ne saurait dire s'il s'agit effectivement d'un déclin ou d'un nuage passager. Ce qui, par contre, est certain, c'est que nous nous trouvons devant une situation tout à fait nouvelle en Amérique latine. Pour la première fois, après deux siècles ou presque, une puissance non américaine possède une base politique et stratégique sur le continent. Pour se rendre compte de la signification historique de la présence soviétique dans un pays d'Amérique latine, il faut se rappeler son antécédent le plus connu : l'intervention manquée de Napoléon III au Mexique, au milieu du siècle passé.

Pour se justifier, les dictatures militaires d'Amérique latine ont toujours eu recours à un prétexte : elles se présentaient comme un remède exceptionnel et provisoire contre le désordre et les excès de la démagogie, contre les menaces de l'extérieur ou, enfin, contre le « communisme ». Ce mot, pour elles, désigne tous les opposants, les dissidents et les esprits critiques. Mais on voit aujourd'hui que le communisme — le vrai : le système totalitaire qui a usurpé le nom et la tradition du socialisme — menace avant tout et surtout la démocratie. La prétendue justification historique des dictatures se dissout : en destituant la démocratie, elles ouvrent la porte aux assauts totalitaires. Je ne sais si on a réfléchi au fait que Fidel Castro n'a pas renversé un gouvernement démocratique, mais un dictateur corrompu. Aujourd'hui même, en Amérique centrale, ce n'est pas la petite démocratie du Costa Rica, mais le nouveau régime nicaraguayen qui, après avoir renversé le dictateur Somoza, sous nos yeux et jour après jour se transforme en dictature communiste. L'unique forme de défense efficace contre le totalitarisme est la légitimité démocratique.

Dans mon essai sur « L'Amérique latine et la démocratie », je fais référence aux traits qui caractérisent la situation centro-américaine : la fragmentation de l'Empire espagnol en petites républiques qui ne sont pas viables sur les plans politique et économique et qui ne possèdent pas davantage une identité nationale précise (elles sont les fragments d'un corps dépecé) ; les oligarchies et le militarisme, alliés à l'impérialisme nord-américain et fomentés par celui-ci ; l'absence de traditions démocratiques et la faiblesse de la classe moyenne comme du prolétariat urbain ; l'apparition de petits groupes de révolutionnaires professionnels issus de la haute bourgeoisie et de la classe moyenne, souvent éduqués dans les écoles catholiques de la bourgeoisie (généralement tenues par les jésuites) et poussés vers le radicalisme par un ensemble de circonstances que Marx ne pourrait expliquer, mais bien Freud ; l'intervention de Cuba et de l'Union soviétique, qui ont armé le Nicaragua et instruit des guérilleros agissant au Salvador et dans d'autres pays... A l'heure où j'écris ces lignes (mars 1983), il est impossible de prévoir ce que sera le dénouement du conflit en Amérique centrale : les Etats-Unis seront-ils capables de résister à la tentation d'employer la force et de s'appuyer sur les dictatures militaires, ainsi que sur l'extrême droite ? Les groupes démocratiques, qui comptent sur l'appui des majorités mais qui sont désorganisés, pourront-ils se ressaisir et vaincre les extrémistes de gauche comme de droite ? Même si ce genre de démarches échoue quasi toujours, peut-être qu'une action concertée par le Venezuela, le Mexique et la

Colombie, en conjonction — pourquoi pas ? — avec l'Espagne socialiste, pourrait prévenir une catastrophe et ouvrir la voie à une solution pacifique et démocratique[1]. Pourvu qu'il ne soit pas trop tard. L'implantation de dictatures communistes en Amérique centrale — une possibilité que nos gouvernements, jusqu'ici, ont mésestimée avec une incompréhensible légèreté — aurait des conséquences terribles sur la paix intérieure et la sécurité extérieure du Mexique. Par leur nature même de milices inspirées par une idéologie belliqueuse et expansionniste, ces régimes sont consubstantiellement destinés à chercher la domination par des moyens violents.

Au cours des dernières années, les dictatures militaires se sont multipliées en Amérique du Sud et celles qui existaient déjà se sont confortées. Pourtant, à la fin de cette période, on a vu apparaître des signes et des indices d'un retour vers des formes plus démocratiques. Le mouvement est particulièrement sensible au Brésil. Il s'agit là d'un phénomène d'une immense portée, à condition, bien sûr, que la tendance continue et se consolide. Le Brésil est voué à devenir une grande puissance et il est déjà parvenu à un degré considérable de développement. Sa conversion à la démocratie contribuerait puissamment à changer l'histoire de notre continent et celle du monde. Mais il y a encore d'autres symptômes qui permettent d'espérer. La démocratie vénézuélienne se présente déjà comme un régime stable, sain et viable. A la façon du Costa Rica, le Venezuela a réussi à créer une véritable légitimité démocratique. Au Mexique, secoué par les événements de 1968, le régime a entrepris des réformes sensées et on a enregistré des progrès appréciables. La majorité des Mexicains ne voient plus dans la démocratie le seul remède à leurs

1. Je venais d'écrire ces lignes quand j'ai appris la formation du groupe appelé *Contadora*, qui comprend également l'Etat du Panama.

immenses problèmes, mais bien la meilleure méthode pour pouvoir les discuter et chercher des solutions. Le cas du Mexique est particulièrement singulier et c'est pourquoi il ne semble pas inutile de m'arrêter un instant sur sa situation.

Le 4 juillet 1982, les Mexicains ont élu un nouveau Président, ainsi que de nouveaux sénateurs et députés. Ces élections furent remarquables, tant par le grand nombre de votes que par le climat de liberté et de tranquillité où elles se sont déroulées. Le peuple mexicain a montré, une fois encore, que sa morale politique est meilleure et plus saine que celle de ses classes dirigeantes : la bourgeoisie, les politiciens professionnels et les intellectuels. En effet, deux mois plus tard, le 1er septembre, ces mêmes classes ont manifesté à nouveau leur faible vocation démocratique. Le pays s'affrontait (et s'affronte encore) à une situation économique désastreuse. Les causes en sont bien connues : la détérioration de l'économie mondiale (inflation, chômage, baisse des prix du pétrole et des matières premières, taux élevés des intérêts bancaires, etc.) ; la gestion improvisée et hasardeuse du gouvernement mexicain, qui s'est montré incapable, une fois de plus, d'écouter tous ceux qui, parmi nous, exprimaient leur inquiétude devant la façon désinvolte dont on administrait les nouveaux gisements pétroliers ; enfin, le mal endémique des régimes patrimonialistes comme le nôtre : la corruption et la vénalité des fonctionnaires. La fuite des devises — conséquence et non cause du malaise — a précipité la faillite financière. Alors que le Président sortant n'en avait plus que pour trois mois à gouverner, sa réplique a été foudroyante : nationaliser le secteur bancaire. Ou plutôt : l'étatiser, puisqu'il était déjà mexicain. La mesure a été adoptée sans consultation ni discussion préalables. Décidée en secret, quand on l'a rendue publique, le 1er septembre, elle a surpris tout le monde, y compris la majorité des secrétaires d'Etat, à

146

commencer par le ministre des Finances en personne.

A peine revenue de sa surprise, l'opinion publique n'a pas eu l'occasion de se manifester. Le gouvernement et son organe politique, le Parti Révolutionnaire Institutionnel, ont mobilisé toutes leurs immenses ressources de propagande pour appuyer la mesure. Que ce soit par conviction ou par crainte d'être également étatisés, les moyens de communication ont gardé un silence discret ou ont fait chorus avec le discours officiel. Les dirigeants de la bureaucratie syndicale ont également mobilisé les travailleurs. Mais le facteur le plus indicatif de l'état de notre morale publique a été la réaction des groupes indépendants : d'une part, les banquiers et les chefs d'entreprise ont protesté timidement ; de l'autre, les partis de gauche et leurs intellectuels ont applaudi avec enthousiasme. Seules quelques personnes ont osé critiquer la décision présidentielle : certains journalistes, trois ou quatre intellectuels et le parti d'opposition Action Nationale. Il est clair qu'on peut avoir des opinions contraires, favorables ou non, sur l'étatisation du secteur bancaire ; ce qui est condamnable, c'est la manière dont cette décision a été décrétée, ce mélange de coup de force et de sentence expéditive. Mais plus honteux encore ont été le silence des uns et les dithyrambes des autres.

Pourquoi les banquiers et les chefs d'entreprise se sont-ils plaints *sottovoce*, sans pouvoir être entendus par l'opinion publique ? Tout simplement parce que beaucoup d'entre eux avaient soutenu le régime et, surtout, parce que nul d'entre eux ne s'est jamais soucié d'améliorer la culture politique au Mexique ni de prendre part à une tâche qui n'est pas celle d'une seule classe, mais bien de tous les Mexicains : créer un espace politique véritablement libre et ouvert à toutes les tendances. Ils ont été et restent des groupes de pression, non d'opinion. Comment auraient-ils pu en appeler aux principes démocratiques alors qu'ils n'ont jamais levé un doigt pour les défendre et les enraciner dans notre vie publique ? L'attitude de la gauche et de ses intellectuels n'a pas été moins lamentable, surtout quand on se souvient du tapage orchestré à l'occasion de leurs récentes professions de foi démocratique et pluraliste. Tout comme les Hébreux fascinés par le veau d'or, le décret présidentiel les a confortés dans leur idolâtrie de l'Etat. Au lieu de réprouver la façon dont l'étatisation avait été décidée, ils se sont empressés de la saluer comme un acte authentiquement révolutionnaire. Ils ne se sont même pas posé la question fondamentale que tous leurs maîtres auraient aussitôt exprimée : à quel groupe social cette mesure bénéficie-t-elle ? Il est sûr que les bénéficiaires n'ont pas été les travailleurs ni le peuple en général, mais bien la nouvelle classe, c'est-à-dire la bureaucratie d'Etat[1]. On a ainsi redoublé le pouvoir du gouvernement, déjà excessif au Mexique.

Les élections de juillet 1982 ont montré que la majorité des Mexicains est favorable aux solutions démocratiques ; mais les événements de septembre, quant à eux, ont confirmé que ni la bourgeoisie conservatrice, ni les partis de gauche et leurs intellectuels, ni la classe politique gouvernementale n'ont une véritable vocation démocratique. Tous ces groupes sont prisonniers, soit de leurs intérêts, soit de leur idéologie. Pour comprendre l'indépendance restreinte des chefs d'entreprise capitalistes et des dirigeants des syndicats ouvriers, il faut rappeler que les uns comme les autres sont nés et ont grandi à l'ombre de l'Etat mexicain, qui a été l'agent de la modernisation du pays. De son côté, la classe intellectuelle a longtemps vécu dans les rangs de l'administration publique et ce n'est que depuis peu que les

1. Si je ne me trompe, j'ai été le premier à me pencher sur le caractère singulier de la bureaucratie politique mexicaine. Je renvoie le lecteur intéressé à mon essai *L'ogre philanthropique* (dans *Rire et pénitence*, Gallimard, 1983).

intellectuels ont pu trouver une situation dans les universités, qui n'ont cessé de croître et de se multiplier. Ce sont les universités qui remplissent aujourd'hui la fonction de l'Eglise et des ordres religieux de jadis. La ressemblance s'accentue encore si l'on remarque que les universités sont des institutions publiques étroitement associées à l'Etat, comme l'était l'Eglise de Nouvelle-Espagne. On peut même dire que leur dépendance est plus grande : l'Eglise, en effet, fut immensément riche jusqu'au milieu du XIXe siècle, tandis que les universités mexicaines vivent des subventions et des dotations gouvernementales. La relation des intellectuels mexicains avec l'Etat n'est pas moins ambiguë que celle du clergé d'autrefois avec le pouvoir temporel, de sorte qu'il n'est pas risqué de la définir comme une indépendance conditionnelle.

L'absence de communication entre le pays réel et ses classes dirigeantes, y compris les intellectuels, est une donnée caractéristique et permanente de l'histoire moderne du Mexique. Le peuple n'a pas réussi à articuler ses besoins et ses revendications dans une pensée politique cohérente et dans des programmes réalistes parce que les minorités intellectuelles et politiques qui, dans d'autres pays, interprètent et donnent une forme aux aspirations populaires confuses, sont hypnotisées chez nous par des idéologies simplistes. Quand ils ne sont pas les catéchistes des Eglises et des sectes de gauche, les intellectuels défendent le *statu quo*, autrement dit leur intérêt. D'autres, minoritaires, poursuivent leurs activités spécifiques — recherche, enseignement, création artistique et littéraire — et préservent ainsi la fragile continuité de notre culture, aujourd'hui plus menacée que jamais. Mais on trouve encore quelques intellectuels indépendants — ce qu'on appelle une poignée — qui assument la fonction critique et se risquent à penser par eux-mêmes. Autre obstacle : les moyens de communication sont contrôlés, directement ou indirectement, par le gouvernement. En outre, l'influence des idéologues dans la presse quotidienne et hebdomadaire est prépondérante. D'où le fait que les formes d'expression populaire les plus répandues soient la rumeur et la plaisanterie. Mais je précise : il n'y a pas de dictature étatique sur l'opinion ; simplement, il n'y a pas de communication entre le Mexique authentique et ceux qui, normalement, devraient être ses porte-parole et ses interprètes. En dépit de ces circonstances adverses, l'opinion publique rejette de plus en plus le patrimonialisme et le paternalisme du régime ; elle aspire à une vie publique libre et démocratique. C'est une demande générale, claire et nette, et il serait très dangereux que nos gouvernements la dédaignent.

On constate la même évolution sur le reste du continent. En Colombie, la démocratie ne fait pas que se défendre : en se maintenant, elle progresse. Le Pérou et l'Equateur reviennent aux formes démocratiques et il en va de même en Bolivie. En Uruguay, il y a eu des élections contraires au pouvoir militaire. Les exilés commencent à rentrer au Chili, signe que nous ne sommes peut-être pas loin d'un changement. En Argentine, on peut voir des indices d'un retour prochain à la démocratie. Il n'est donc pas risqué de présumer que nous sommes dans un virage historique[1]. Si cette tendance se fortifie et s'étend, les Latino-Américains pourront commencer à songer à des actions démocratiques conjointes et qui répondraient aux véritables intérêts de nos peuples. Jusqu'ici, nous avons joué le jeu des grandes puissances. Le moment est propice pour tenter de dessiner une politique continentale qui soit à la fois neuve et nôtre. Et peut-être n'est-il pas tout à fait illusoire d'ima-

1. C'est chose faite aujourd'hui : le Brésil, l'Argentine et l'Uruguay sont revenus à la démocratie et le régime militaire chilien donne la preuve de son incapacité croissante à faire face à l'opposition démocratique. (Décembre 1984.)

giner que deux nouvelles démocraties européennes, l'Espagne et le Portugal, auxquelles nous sommes unis par l'histoire et la culture, pourraient contribuer à cette renaissance. Je crois la conjoncture favorable à une action démocratique continentale qui ne viendrait pas de l'extérieur, mais de nos pays mêmes. Une alliance des nations démocratiques latino-américaines ne ferait pas seulement réfléchir Washington ; elle pourrait changer en profondeur notre continent. Je pense à deux contributions essentielles : la première serait d'apporter une aide à la véritable modernisation de nos peuples, c'est-à-dire l'instauration de démocraties authentiques ; la seconde consisterait à construire de nouveau et sur des bases plus solides l'indépendance latino-américaine. Dans le monde moderne, la démocratie et l'indépendance sont des termes apparentés : une démocratie sans indépendance n'est pas une vraie démocratie. Mais nous n'avons pas beaucoup de temps : il commence déjà à se faire tard et le ciel est toujours couvert.

EPILOGUE

Une tache d'encre

Sous un soleil pacifié glissaient les heures tranquilles. L'après-midi s'achevait et moi, distrait, je suivais d'un esprit indécis un fil de lumière qui tombait sur les papiers de mon bureau. Derrière la fenêtre, des grappes d'azalées au contour imprécis, calmes dans la lumière tardive. Soudain je vis une ombre se lever de la page écrite, se diriger vers la lampe et s'étendre sur la couverture rougeâtre du dictionnaire. L'ombre grandit et devint une figure dont je ne sais s'il faut l'appeler humaine ou titanique. Je ne saurais davantage préciser sa taille : elle était immense et minuscule, elle marchait parmi les livres et son ombre couvrait l'univers. Elle me regarda et me parla. Ou plutôt : j'entendis ce que ses yeux me disaient — même si je ne sais pas si elle avait vraiment des yeux et si ces yeux me regardaient :

LUI : Tu as fini ton livre ?

MOI *(acquiesçant de la tête)* : Qui es-tu ? Ou bien quoi ?

LUI : Mon nom est Légion. Je change sans cesse de nom et de forme, je suis nombreux et ne suis aucun ; je suis toujours prisonnier de moi-même et ne parviens pas à me saisir. Un Byzantin m'a baptisé Lucifuge : une obscurité errante et ennemie de la lumière. Mais mon ombre est lumière, comme celle d'Aciel, le soleil noir. Je suis lumière tournée vers l'intérieur, lumière à l'envers. Appelle-moi Eçul[1].

---

1. Anagramme de l'italien *luce* : lumière. *(N.d.T.)*

153

MOI : Maintenant je sais qui tu es et d'où tu viens.

LUI : Oui, je viens du Chant Premier de ce livre *(et il désigna un volume relié à la hollandaise)*. Mais on n'y mentionne pas mon nom. Je fais partie de la suite.

MOI : De qui ?

LUI : D'un prince. Son nom ne te dirait rien.

MOI : Que viens-tu faire ?

LUI : Te dissuader. Tu marches perdu dans le temps ou, comme vous dites ici, dans l'histoire. Tu cherches le cap : l'as-tu trouvé ?

MOI : Non. Mais je sais maintenant que les révoltes se pétrifient en révolutions ou se transfigurent en résurrections.

LUI : Ce n'est pas nouveau. C'est aussi vieux que votre présence sur la terre.

MOI : Pour moi, c'est nouveau. Nouveau pour nous, qui vivons de nos jours.

LUI : Est-ce que la bagarre des deux puissances te semble également nouvelle ? Souviens-toi de Rome et de Carthage...

MOI : Non, ce n'est pas nouveau. Pourtant, ce n'est pas la même chose. Comparaison n'est pas raison.

LUI : Quelle illusion ! Tu n'as pas remarqué une autre ressemblance plus... impressionnante ?

MOI : Laquelle ?

LUI : Tu te rappelles, dans ce livre *(et il indiqua de nouveau le volume)*, l'assemblée à Pandémonium ?

MOI : Je ne comprends pas.

LUI *(impatient)* : La terre est devenue un petit enfer où nous, les diables, jouons à la guerre avec les hommes.

MOI : Je te dis que je ne comprends pas.

LUI : Tu n'as pas bien lu tes poètes. *(Didactique :)* Là-bas, à Pandémonium, il y a deux grands princes, dont le pouvoir est seulement inférieur à celui de Lucifer. Le premier *(il commença à déclamer)* « est un Roi horrible barbouillé du sang des sacrifiés et des larmes des parents qui ne peuvent entendre, étouffés par le bruit des cymbales et des crotales[1], les cris de leurs enfants dans les bras de feu de l'effrayante idole ».

MOI : Ah, Moloch, le dieu des Ammonites !

LUI : Et des Hébreux. Tu ne sais donc pas *(il baissa la voix)* que la divinité à laquelle ils sacrifiaient des enfants était Yahvé ? Cela se passait au temps d'Achaz et de Manassé. Tes études bibliques sont très déficientes. Peut-être le connais-tu sous un autre nom : Arès.

MOI : Mars...

LUI : Huitzilopochtli[2], Tezcatlipoca[3], Odin, Thor...

MOI : Et Kâlî qui lèche de sa langue immense les champs de bataille et gratte de ses ongles la terre des cimetières.

LUI : L'autre prince ne marche pas la tête haute, mais en regardant le sol. Humilité ? Non : il fouille du regard, il cherche des richesses cachées. C'est lui qui vous a appris à explorer — le poète dit : saccager, mais il exagère — les entrailles de la terre. Quand nous vivions là-bas *(il recommença à déclamer)* « il dressa des tours altières, demeures lumineuses pour les séraphins... jusqu'au jour où, précipité du haut des créneaux cristallins, il tomba sans fin de l'aube à midi et de midi au crépuscule, tout un long jour d'été... Il tomba avec toutes ses machineries, ses appareils ingénieux et ses disciples industrieux... condamné à construire en enfer ». *(Pause.)* Depuis lors, il boite un peu...

MOI : Héphaïstos, Vulcain...

LUI : Son vrai nom est Mammon. Patron des forgerons, des commerçants, des ingénieurs, des mécani-

1. Il s'agit de l'instrument de percussion utilisé dans l'Antiquité et qui produisait un bruit semblable à celui des castagnettes. *(N.d.T.)*

2. Le dieu aztèque de la Guerre. *(N.d.T.)*

3. Dans la mythologie toltèque, ce nom désigne le dieu du ciel nocturne et des guerriers, dont les maléfices ont vaincu le roi légendaire de sagesse et de bonté qui avait choisi le surnom de Quetzalcóatl, le célèbre dieu civilisateur. *(N.d.T.)*

ciens, des banquiers, des mineurs... Un dieu sagace, entreprenant, industrieux. Un dieu exigeant. Matthieu a dit : « Tu ne peux suivre Dieu et Mammon. » *Ergo :* sers Mammon.

MOI : Un diable versé dans les Ecritures !

LUI *(sans me prêter attention)* : A Pandémonium, nous avons un jour discuté — et ce qui là-bas se discute une fois se discute toujours car succession et répétition, changement et continuité sont pour nous identiques — comment nous pourrions recouvrer le bien perdu. C'était au lendemain de la Chute. Alors Moloch s'est levé, « le plus fort et le plus fier des esprits qui livrèrent bataille dans l'Empyrée », et il a déclaré : « Comment, fugitifs des cieux, pouvons-nous rester ici les bras croisés et accepter pour gîte ce honteux repaire, alors que des millions d'armes attendent le signal pour assaillir le ciel ? Le tyran ne règne là-haut que par nos atermoiements. » Moloch nous poussait à l'insurrection et à la guerre. Puis Bélial s'est levé, pour conseiller la prudence. Mais le discours le plus surprenant pour nous tous, et qui nous surprend encore, a été celui de Mammon... bien que le Malin fronce le sourcil chaque fois que je le cite.

MOI : Pourquoi ?

LUI : Mammon ne nous a proposé ni le soulèvement de Moloch le superbe ni la soumission de Bélial l'hypocrite : « puisque nous ne pouvons détrôner le Très-Haut ni obtenir son pardon (et même si cela était réalisable : qui donc ne serait pas humilié à l'idée de passer le plus clair de son temps en le célébrant avec des alléluias forcés ? Quelle éternité monotone serait la nôtre si nous devions la vivre en chantant les louanges de celui que nous haïssons...). Non, n'entreprenons pas l'impossible, mais ne nous résignons pas non plus à l'inacceptable : il faut chercher notre propre bien en nous-mêmes et vivre libres dans cette vaste caverne sans rendre compte à quiconque de nos actes. La dure liberté est préférable au joug léger d'une pompe servile... L'obscurité de ce trou nous fait peur ? Nous la transpercerons de clartés imitant la sienne. Cette désolation nous effraie ? Nous avons assez d'ingéniosité et de persévérance pour produire des prodiges... Nos tortures mêmes, par l'œuvre du temps et de l'habitude, deviendront notre seconde nature et les feux qui nous martyrisent seront autant de caresses... » La harangue de Mammon fit éclater dans l'Averne un tonnerre d'applaudissements semblable à celui qui accompagne la tourmente quand elle secoue la mer et fait résonner les rochers et les grottes du promontoire. Alors Belzébuth...

MOI : A présent je comprends l'inquiétude de Satan. Le discours de Mammon était déviationniste. Avec son programme astucieux de réformes, il prétendait distraire le peuple infernal de sa tâche la plus urgente et, pour ainsi dire, de sa mission historique : l'insurrection et la prise du ciel... Mais ce que je ne comprends toujours pas, c'est la ressemblance dont tu parlais.

LUI : Tu as la tête dure. Pense à Moloch et à son appel : nous unir tous ensemble pour attaquer le ciel avec des millions et des millions de rebelles fanatiques. Cela ne te rappelle rien ?

MOI : Si, bien sûr, la Russie. C'est un fief de Moloch !

LUI : Exact. Maintenant, songe à Mammon et à son idée de rendre l'enfer habitable par le travail, l'industrie, le commerce et la « dure liberté »...

MOI : Les Etats-Unis et les démocraties capitalistes ! Ce sont des colonies de Mammon.

LUI : L'histoire des hommes est la représentation...

MOI : ... de la dispute des diables.

LUI : *Ecco !* Tu as appris ta leçon.

MOI : Tout doux, tout doux... Même s'il s'avérait que l'histoire n'est qu'une pièce de théâtre écrite par vos soins — il faudrait encore choisir le moindre mal.

LUI *(scandalisé)* : Le mal n'est ni plus grand ni plus petit. Le mal est le mal.

MOI : Et c'est toi qui le dis, toi qui inventas la négation et avec elle divisas l'éternité en temps successif, en histoire ! Tu parles comme Gabriel et Michel, les soldats de l'Absolu.

LUI *(conciliant)* : Nous sommes condamnés à vivre dans le temps. Nous sommes éternels et nous tombons à jamais, oui, à jamais, dans le relatif : voilà notre châtiment. Mais pas vous... Vous pouvez, d'un seul bond, échapper au temps et à ses querelles démoniaques. N'appelez-vous pas cela liberté ?

MOI : Où veux-tu en venir ? Moloch proclame que son combat est absolu, Mammon décrète que la richesse est le bien suprême ; vous avez toujours fait du relatif un absolu, de la créature un Dieu et de l'instant une fausse éternité. Et là tu me dis le contraire : le relatif est relatif sans rémission et il est démoniaque. Tu me demandes de délaisser les disputes terrestres et de regarder vers le haut... Autre leurre, autre piège.

LUI : Tu restes prisonnier du temps. Souviens-toi : « Rien ne me désabuse/le monde m'a envoûté »[1]. Il faut se détacher, faire le saut, être libre. La parole est *détachement*.

MOI : Tricheur ! Nous vivons dans le temps et devons lui faire face. C'est seulement ainsi qu'un jour, peut-être, nous pourrons entrevoir le non-temps. Politique et contemplation : voilà ce que nous a dit Platon et ce que nous ont répété, chacun à sa façon, Aristote et Marc Aurèle, saint Thomas et Kant. Dans le relatif, il y a des traces, des reflets de l'absolu ; dans le temps, chaque minute est semence d'éternité. Et même si ce n'était pas ainsi, peu importe : chaque acte relatif est tendu vers un signifié qui le transcende.

LUI : Espèce de sophiste !

MOI : Autant pour toi... Nous vivons dans le temps, nous sommes faits de temps et nos œuvres sont du

---

1. Deux vers de Quevedo souvent cités par l'auteur. *(N.d.T.)*

temps : elles passent et nous passons. Mais parfois, nous pouvons voir dans le ciel couvert une clarté. Peut-être n'y a-t-il rien derrière et ne nous montre-t-elle que sa propre transparence.

LUI *(avec avidité)* : Et cela te suffit ? Tu peux te contenter de ce reflet d'un reflet ?

MOI : Cela me suffit, nous suffit. Nous sommes tout le contraire de vous : nous ne pouvons renoncer ni à l'action ni à la contemplation.

LUI *(d'une voix altérée)* : Pour nous, voir et faire sont une même chose — qui se résout en néant. Tous nos discours éloquents se terminent en sifflements de vipère... Nous sommes des esprits tombés dans le temps, mais nous ne sommes pas faits de temps : nous sommes immortels. C'est là notre condamnation : une éternité sans espérance.

MOI : Nous sommes les fils du temps et le temps est espérance.

Derrière la fenêtre, les azalées s'étaient fondues dans la nuit. Sur la feuille de papier, dans un vide laissé entre deux paragraphes, j'ai remarqué une petite tache d'encre. J'ai pensé : un trou de lumière noire.

Mexico, le 22 mars 1983.

Deuxième partie

TROIS ESSAIS
SUR L'AMÉRIQUE LATINE

CHAPITRE I

Le miroir indiscret

Avant d'être une réalité, les Etats-Unis furent pour moi une image. Rien d'étrange à cela : dès notre enfance, nous, les Mexicains, nous voyons ce pays comme l'*autre*. Un *autre* inséparable de nous-mêmes et qui, en même temps, est radicalement, essentiellement étranger. Au nord du Mexique, l'expression « l'autre côté » désigne les Etats-Unis. L'autre côté est, à la fois, géographique : la frontière ; culturel : une autre civilisation ; linguistique : une autre langue ; historique : un autre temps (les Etats-Unis courent après le futur alors que nous sommes encore liés à notre passé) ; métaphorique : ils représentent l'image de tout ce que nous ne sommes pas. Bref, ils sont l'étrangeté même. Et pourtant nous sommes condamnés à vivre avec cette étrangeté : l'autre côté est comme l'autre face de la médaille. Les Etats-Unis sont toujours présents parmi nous, même quand ils nous ignorent ou nous tournent le dos : leur ombre couvre tout le continent. C'est l'ombre d'un géant. L'image que nous avons de lui coïncide avec celle des contes et des légendes. Un grand gaillard généreux et un peu simplet, un ingénu qui ne connaît pas sa force et que l'on peut facilement tromper, mais dont la colère pourrait nous anéantir. A l'image du bon géant grand nigaud se juxtapose celle du cyclope rusé et sanguinaire. Image à la fois infantile et licencieuse : l'ogre dévorateur d'enfants chez Perrault et l'ogre de Sade, Minsk, maître en orgies où les libertins mangent des plats fumants de chair humaine sur les corps sacrifiés qui leur servent de tables et de chaises. Saint Christophe et Polyphème. Prométhée, aussi : le feu de l'industrie et celui de la guerre. Les deux faces du progrès : la voiture et la bombe.

Les Etats-Unis sont la négation de ce que nous fûmes aux XVIe, XVIIe et XVIIIe siècles. Ils sont également l'image de ce que, depuis le XIXe, beaucoup d'entre nous voudraient que nous eussions été. Comme tous les pays, le Mexique est né plusieurs fois. La première fois au XVIIe siècle, cent ans après la Conquête ; la seconde au début du XIXe siècle, avec l'Indépendance. Mais peut-être n'est-il pas juste d'affirmer que le Mexique est né par deux fois ; ce qui se passe, en fait, c'est que nous appelons d'un même nom (le Mexique) plusieurs entités historiques différentes. La première de ces entités est l'ancienne société indigène, composée de cités-Etats régies par des théocraties militaires et qui ont créé des religions complexes et de non moins complexes œuvres artistiques. Ce monde se présente davantage comme une autre civilisation que comme une autre société. Ensuite, après le grand chantier de la Conquête et de l'Evangélisation, une autre société voit le jour, vers le milieu du XVIIe siècle : la Nouvelle-Espagne. Cette société ne fut pas réellement une colonie, au sens strict du terme, mais un royaume assujetti à la couronne d'Espagne, au même titre que les autres qui composaient l'Empire espagnol : la Castille, l'Aragon, la Navarre, la Sicile, l'Andalousie, les Asturies.

Dès le début, les enfants des Espagnols nés au Mexique, ceux qu'on appelle *créoles*, se sentirent diffé-rents des Européens. Ce sentiment s'accentua à partir du XVIIe siècle. La conscience d'une singularité sociale et historique — obscure et confuse à l'origine — s'exprime peu à peu, mais très clairement, tout au long des XVIIe et XVIIIe siècles. L'originalité du génie créole fut particuliè-

164

rement visible dans trois domaines : celui de la sensibilité, celui de l'esthétique et celui de la religion. Dès la fin
du XVIIe siècle, on peut parler d'un *caractère* créole,
c'est-à-dire d'une manière d'être où se manifeste une
gamme d'attitudes vitales : façons de considérer ce
monde-ci et l'autre, le sexe et la mort, le loisir et le
travail, soi-même et les autres (en particulier *les autres*
par antonomase : les Espagnols de la Péninsule). Dans le
domaine des arts, les créoles s'exprimèrent avec un
bonheur évident : est-il besoin de rappeler l'architecture
baroque — aussi bien savante que populaire — ou la
figure de Sor Juana Inés de la Cruz ? Cette femme ne fut
pas seulement un grand poète, mais la conscience intellectuelle de sa société et, sous certains aspects, elle l'est
encore de la nôtre. Cela dit, les grandes créations de la
Nouvelle-Espagne se situent surtout dans la sphère des
croyances et des mythes religieux. La plus grande de
toutes ses images fut la Vierge de Guadalupe.

La société créole a toujours eu des aspirations séparatistes, mais c'est seulement à la fin du XVIIIe siècle
qu'elles se sont manifestées ouvertement. Le caractère
embryonnaire et confus des sentiments politiques chez
les créoles contraste avec la richesse, la complexité et
l'originalité de leurs créations et de leurs expressions
artistiques et religieuses. Quand les créoles commencent
à penser en termes politiques, ils le font sous l'inspiration des jésuites. La Compagnie de Jésus était devenue
non seulement le précepteur de la classe dirigeante
créole, mais sa conscience morale et politique. Au moment où la révélation de leur singularité se transforme
en conscience politique, certains créoles réalisent que
leur tradition — monarchisme et néo-thomisme — n'est
plus de vigueur dans le monde et que, surtout, elle
n'offre pas une base suffisante pour fonder leurs aspirations et les articuler dans un programme d'action politique. Certes, les créoles et leurs mentors jésuites avaient
vaguement conçu le projet d'un Empire d'Amérique

septentrionale. Cette idée, dont les origines remontent au dernier tiers du XVIIᵉ siècle, s'est maintenue au sein du Parti Conservateur Mexicain jusqu'au milieu du XIXᵉ siècle.

Plus qu'une idée politique, l'Empire mexicain fut une image. En tant qu'image, elle séduisit de nombreux grands esprits ; en tant qu'idée, elle ne tarda pas à révéler certaines inconsistances. La première et la plus grave est que cette idée représentait une simple prolongation du système espagnol et, par suite, n'offrait pas d'éléments et de concepts permettant d'élaborer un programme réellement national. En effet, la Nouvelle-Espagne était une réalité sociale bien plus vaste que la société créole et comprenait des groupes sociaux et ethniques, les Indiens et les métis, que l'idée impériale ne concernait en rien. Pure prolongation du système espagnol, l'idée de l'Empire mexicain était encore un projet qui allait à l'encontre du courant général de cette époque. En ce temps-là, l'idée de nation, fondement de l'indépendance, était devenue inséparable de l'idée de souveraineté populaire, à son tour le fondement des nouvelles républiques. Enfin, dans l'aspiration à l'indépendance, il y avait un élément qui n'apparaissait pas dans le projet impérial : le désir de modernité. Ou, comme on disait alors : le désir de progrès. Au Mexique et dans le reste de l'Amérique hispanique, indépendance, république et démocratie furent des termes synonymes de progrès et de modernité.

L'expulsion des jésuites précipita la crise intellectuelle des créoles : ils se retrouvèrent non seulement sans maîtres à penser, mais sans système philosophique pour justifier leur existence. Beaucoup d'entre eux tournèrent alors les yeux vers l'autre tradition, l'ennemie de celle qui avait fondé la Nouvelle-Espagne. C'est à ce moment que la différence radicale entre les deux Amériques s'est rendue visible et palpable. L'une, celle de langue anglaise, est la fille de la tradition qui a fondé le monde

166

moderne : la Réforme avec ses conséquences politiques et sociales, la démocratie et le capitalisme ; l'autre, la nôtre, qu'elle parle portugais ou castillan, est la fille de la monarchie universelle catholique et de la Contre-Réforme. Les créoles mexicains ne pouvaient bâtir leur projet séparatiste à partir de leur tradition politique et religieuse : ils ont donc adopté, mais sans les *adapter*, les idées de l'autre tradition. C'est là que se situe la seconde naissance du Mexique ; plus exactement, c'est le moment où la Nouvelle-Espagne, pour consommer sa séparation d'avec la métropole, se nie elle-même. Cette négation fut sa mort et la naissance d'une autre société : le Mexique.

•

Les Etats-Unis entrent dans notre histoire pendant cette seconde période. Ils n'apparaissent pas comme un pouvoir étranger à combattre, mais comme un modèle à imiter. C'est le début d'une fascination qui, si elle a changé de forme durant les cent cinquante dernières années, n'a jamais baissé d'intensité. L'histoire de cette fascination se confond avec celle des groupes d'intellectuels qui, depuis l'Indépendance, ont élaboré tous ces programmes de réforme sociale et politique avec lesquels ils ont essayé de transformer le pays en nation moderne. Au-delà de tout ce qui peut les séparer, il y a une idée commune qui inspire aussi bien les libéraux que les positivistes et les socialistes : le projet de modernisation du Mexique. Dès l'aube du XIXe siècle, ce projet se définit face aux Etats-Unis, c'est-à-dire pour ou contre eux. La passion de nos intellectuels pour la civilisation nord-américaine va de l'amour à la rancœur, de l'horreur à l'adoration. Formes contradictoires, mais jumelles, de l'ignorance : à l'un des extrêmes, le libéral Lorenzo de Zavala, qui n'a pas hésité à prendre le parti des Texans dans leur guerre contre le Mexique ; à l'autre pôle, les marxistes-léninistes contemporains et leurs alliés, les « théologiens de la libération », qui ont fait de la dialectique matérialiste une hypostase de l'Esprit Saint et de l'impérialisme nord-américain la préfiguration de l'Antéchrist.

L'« intelligentsia » n'est pas la seule à avoir éprouvé des sentiments partagés envers les Etats-Unis. Au lendemain de l'Indépendance et jusqu'au milieu du XIXᵉ siècle, les classes aisées se tournèrent résolument contre eux ; ensuite, elles devinrent leurs alliés et, presque toujours, leurs valets et leurs complices. Pourtant, héritières au bout du compte de la société hiérarchique qu'était la Nouvelle-Espagne, nos classes fortunées n'ont jamais vraiment repris à leur compte l'idéologie libérale et démocratique ; elles cultivent l'amitié des Etats-Unis pour des raisons d'intérêt, mais leurs véritables affinités morales et intellectuelles les rapprochent des régimes autoritaires. D'où leur sympathie pour l'Allemagne pendant les deux guerres mondiales. On observe une évolution identique dans les castes politique et militaire : le général Miramón, conservateur, fut l'ennemi des Etats-Unis, mais le général Porfirio Díaz, libéral, fut leur proconsul. Dans la mesure où l'on peut risquer des généralisations au sujet d'une matière aussi contradictoire, on pourrait résumer en disant que, pendant le XIXᵉ siècle, les libéraux furent les amis et les alliés des Etats-Unis (le plus bel exemple est Benito Juárez) et les conservateurs leurs adversaires (le cas le plus remarquable étant Lucas Alamán), tandis que, au XXᵉ siècle, les rôles sont inversés. Mais, naguère comme aujourd'hui, les ennemis des Etats-Unis ont dû chercher des alliés et des protecteurs en dehors du continent : au XIXᵉ siècle, un Miramón regardait vers la France ; au XXᵉ, un Fidel Castro se tourne vers l'U.R.S.S.

Le Brésil ne renia pas le Portugal ; par contre, en Amérique hispanique, les libéraux furent anti-espagnols. Leur anti-espagnolisme peut sembler absurde et irrationnel. Et il l'est en effet. Mais il est explicable : les idées démocratiques adoptées par les libéraux étaient la négation de tout ce que la Nouvelle-Espagne avait représenté. Au Mexique et dans toute l'Amérique espagnole, la révolution d'Indépendance fut simultanément une affirmation des nations hispano-américaines et une négation de la tradition qui avait fondé ces nations. Autrement dit, ce fut une autonégation. Et c'est ici qu'apparaît une autre différence avec les Etats-Unis. En se séparant de l'Angleterre, les Nord-Américains ne rompirent pas avec leur passé ; au contraire, ils affirmèrent ce qu'ils avaient été et ce qu'ils voulaient devenir. L'Indépendance du Mexique fut la négation de ce que nous avions été depuis le XVIe siècle ; elle n'entraîna pas l'instauration d'un projet national, mais l'adoption d'une idéologie universelle totalement étrangère à notre passé.

Entre le puritanisme, la démocratie et le capitalisme, il n'y avait pas d'opposition, mais une affinité ; le passé et le futur des Etats-Unis se reflètent sans contradiction dans ces trois termes. A l'inverse, entre l'idéologie républicaine et le monde catholique de la vice-royauté mexicaine, mosaïque de survivances précolombiennes et de formes baroques, il y eut une rupture : le Mexique renia son passé. Comme toutes les négations, la nôtre contenait une affirmation : celle d'un futur. A ceci près que nous n'avons pas élaboré notre vision du futur avec des idées et des éléments extraits de notre tradition, mais que nous nous sommes approprié l'image du futur inventée par les Européens et les Nord-Américains. Depuis le XVIe siècle, notre histoire, fragment de l'histoire d'Espagne, avait été une négation passionnée de la modernité naissante : la Réforme, l'Encyclopédie et tout le reste. Au commencement du XIXe siècle, nous avons décidé que nous serions ce qu'étaient déjà les Etats-Unis : une nation moderne. L'accès à la modernité exigeait un sacrifice : le nôtre. On connaît le résultat de ce sacrifice : nous ne sommes pas encore modernes, mais, depuis lors, nous marchons à la recherche de nous-mêmes.

Les premiers germes de la démocratie sur ce continent apparaissent dans les communautés et les sectes dissidentes de la Nouvelle-Angleterre. Certes, les Espagnols établirent sur les terres conquises l'institution du conseil municipal, fondée sur l'autogouvernement des villes et villages. Mais les conseils municipaux connurent toujours une vie précaire, étranglés qu'ils étaient par un réseau serré de juridictions et de privilèges bureaucratiques, nobiliaires, ecclésiastiques et économiques. La Nouvelle-Espagne fut toujours une société hiérarchique, sans gouvernement représentatif et sous la coupe du pouvoir duel du Vice-roi et de l'Archevêque. Max Weber divisait les régimes prémodernes en deux grandes catégories : le système féodal et le système patrimonial. Dans le premier, le Prince gouverne avec — ou contre — ses pairs par la naissance et le rang : les barons ; dans le second, le Prince régit la nation comme si c'était son patrimoine et sa maison : ses ministres sont ses familiers et ses domestiques. La monarchie espagnole est un exemple de régime patrimonialiste. C'est également le cas de ses successeurs, les « républiques démocratiques » d'Amérique latine, oscillant toujours entre le Caudillo et la Démagogie, entre le Père despotique et les Fils rebelles.

Dès leur naissance, les communautés religieuses de Nouvelle-Angleterre défendirent jalousement leur autonomie face à l'Etat. S'inspirant de l'exemple des Eglises chrétiennes aux premiers siècles, ces groupes se montrèrent toujours hostiles envers la tradition autoritaire et bureaucratique de l'Eglise catholique. Depuis Constantin, le christianisme avait vécu en symbiose avec le pouvoir catholique ; pendant plus de mille ans, le modèle de l'Eglise avait été l'Empire césarien et bureaucratique de Rome et de Byzance. La Réforme marqua la

170

rupture de cette tradition. A leur tour, les communautés religieuses de Nouvelle-Angleterre portèrent cette rupture jusqu'à ses ultimes conséquences, en accentuant les traits égalitaires et la tendance à l'autogouvernement des groupes protestants des Pays-Bas. En Nouvelle-Espagne, l'Eglise fut avant tout une hiérarchie et une administration, c'est-à-dire une bureaucratie cléricale qui rappelle, sous certains aspects, l'institution des mandarins dans l'ancien Empire chinois. D'où l'admiration des jésuites, au XVIIᵉ siècle, devant le régime de K'ang-hi, où ils voyaient enfin réalisée leur idée de ce que pouvait être une société hiérarchique et harmonieuse. Une société stable sans être statique, un peu comme une horloge qui, bien qu'elle avance toujours, sonne toujours les mêmes heures. Dans les colonies anglaises, l'Eglise ne fut pas une hiérarchie de clercs maîtres du savoir, mais la libre communauté des fidèles. L'Eglise fut plurielle et composée, dès le départ, d'un réseau d'associations de croyants, véritable préfiguration de la société politique en démocratie.

Le fondement religieux de la démocratie nord-américaine n'est plus visible aujourd'hui, mais il n'en est pas moins puissant. Plus qu'un ciment, c'est une racine enterrée ; si un jour elle se dessèche, ce pays tout entier se desséchera. Sans cet élément religieux, il est impossible de comprendre et l'histoire des Etats-Unis et le sens de la crise dont ils souffrent maintenant. La présence de l'éthique religieuse protestante a transformé un incident comme celui du Watergate en conflit qui touchait les fondements mêmes de la démocratie nord-américaine. Ces fondements ne sont pas seulement politiques — le pacte social entre les hommes — mais religieux : c'est le pacte des hommes avec Dieu. Dans toutes les sociétés, la politique et la morale voisinent, mais, contrairement à ce qui se passe dans une démocratie laïque comme la République française, aux Etats-Unis il est quasi impossible de séparer la morale de la religion. En France, la démocratie est née de la critique des deux institutions qui représentaient l'*ancien régime*[1] : le Trône et l'Autel. La conséquence de la critique de la religion fut la séparation claire et nette entre la morale religieuse, domaine privé, et la morale politique. Aux Etats-Unis par contre, la démocratie vient en droite ligne de la Réforme, c'est-à-dire d'une critique *religieuse* de la religion. La fusion entre morale et religion caractérise la tradition protestante. Dans les sectes réformistes, les rites et les sacrements cèdent leur place cardinale à la morale et à l'examen de conscience. D'autres époques et d'autres civilisations avaient connu des théocraties de moines guerriers et des empires régis par des bureaucraties sacerdotales ; l'histoire a souvent enregistré cette union entre la théologie et le pouvoir, entre le dogme et l'autorité. Il revenait à l'Age Moderne, à l'ère qui a entrepris la critique du royaume des cieux et de ses ministres sur la terre, d'intervertir les termes de l'ancienne alliance impure entre politique et religion. La démocratie nord-américaine manque de dogme et de théologie, mais ses fondements ne sont pas moins religieux que le pacte unissant les Juifs à Jéhovah.

Aussi bien par ses origines religieuses que par ses philosophies politiques, la démocratie nord-américaine tend à fortifier la société et l'individu face à l'Etat. Dès le début, on trouve dans l'histoire nord-américaine une aspiration duelle à l'égalitarisme et à l'individualisme. Germes de vie, mais en même temps germes contradictoires. Voici quelques années, à l'occasion du bicentenaire de l'Indépendance, devant la crise qui secouait leur pays jusqu'aux fondations, les intellectuels nord-américains se sont reposé la question qui avait divisé les « pères fondateurs » : liberté ou égalité ? Ce type de polémique court le risque de se convertir en dispute scolastique : la liberté et l'égalité se transforment en

1. En français dans le texte. *(N.d.T.)*

172

entéléchies dès qu'elles perdent leurs dimensions historiques concrètes. La liberté se définit face à ses limites et ses obstacles ; il en advient de même avec l'égalité. Dans le cas des Etats-Unis, la liberté s'est définie face à l'inégalité hiérarchique de la société européenne ; partant, son contenu fut égalitaire. A son tour, le désir d'égalité s'est manifesté comme une action contre l'oppression des privilèges économiques, ce qui veut dire comme autodétermination et liberté. Si la liberté comme l'égalité ont été des valeurs subversives, c'est parce que, auparavant, elles avaient représenté des valeurs religieuses. La liberté et l'égalité étaient deux dimensions de la vie ultra-mondaine ; elles étaient des dons de Dieu et apparaissaient mystérieusement comme des expressions de la volonté divine. De la même façon que, dans la tragédie grecque, la liberté des héros est une dimension du Destin, dans la théologie calviniste la liberté est liée à la prédestination. Ainsi, la révolution religieuse de la Réforme a anticipé la révolution politique de la démocratie.

En Amérique latine, c'est tout le contraire qui est arrivé : l'Etat a lutté contre l'Eglise non pour fortifier les individus, mais pour se substituer au clergé dans le contrôle des consciences et des volontés. Notre Amérique n'a pas connu une révolution religieuse qui eût préparé la révolution politique. Elle n'a pas connu davantage, contrairement à la France du XVIIIe siècle, un mouvement philosophique qui eût entrepris la critique de la religion et de l'Eglise. La révolution politique en Amérique latine — je me réfère à l'Indépendance et aux conflits entre libéraux et conservateurs qui ont ensanglanté notre XIXe siècle — n'a été qu'une manifestation supplémentaire du patrimonialisme hispano-arabe : elle a combattu l'Eglise comme un rival qu'il fallait destituer ; elle a fortifié l'Etat autoritaire et les caudillos libéraux n'ont pas été plus tendres que les conservateurs ; elle a accentué le centralisme, tout en le dissimulant sous le masque du fédéralisme ; enfin, elle a rendu endémique le régime d'exception qui sévit sur nos terres depuis l'Indépendance : le caudillisme.

*

L'Indépendance a été un faux commencement : elle nous a libérés de Madrid, non de notre passé. Aux maux dont nous avons hérité, nous avons ajouté les nôtres. Et à mesure que nos rêves de modernisation se dissipaient, la fascination pour les Etats-Unis grandissait. La guerre d'agression de 1847[1] l'a transformée en obsession. Fascination ambivalente : le titan du Nord était à la fois l'ennemi de notre identité et le modèle non avoué de ce que nous voulions être. Les Etats-Unis représentaient un idéal politique et social en même temps qu'un pouvoir intrus, un agresseur. Cette image double et qui correspond à la réalité — les Etats-Unis sont une démocratie et un empire — s'est imposée tout au long du XIXᵉ siècle et a donné matière à une des polémiques entre libéraux et conservateurs. Pour comprendre l'attitude des libéraux, il suffit de songer au comportement de milliers d'« intellectuels progressistes » vis-à-vis de l'U.R.S.S. aujourd'hui : ils continuent à fermer les yeux sur la réalité de la bureaucratie soviétique, sa police omniprésente et omnipotente, ses camps de concentration et la politique impérialiste de Moscou, pour voir en pensée l'image d'une patrie socialiste, libre, heureuse et pacifique. Nos libéraux étaient moins crédules, mais chez eux aussi l'idéologie était plus réelle que la vraie réalité.

Les libéraux étaient les ennemis du passé mexicain, qu'ils dénonçaient comme une imposture étrangère, une intrusion espagnole. C'est pourquoi ils disaient que le

1. La guerre territoriale entre le Mexique et les Etats-Unis, à l'issue de laquelle les Mexicains ont perdu la Californie, le Texas et l'actuel Etat du Nouveau-Mexique. *(N.d.T.)*

Mexique avait « recouvré » son indépendance, comme si la nation eût existé avant l'arrivée des Espagnols. Au passé factice de la Vice-royauté, ils n'opposaient pas le passé précolombien — qu'ils ignoraient et souvent dédaignaient : l'Indien Benito Juárez n'était pas indigéniste — mais le futur de la démocratie libérale. Face à ces deux excentricités (du point de vue de l'Occident moderne) qui nous constituaient, soit le passé espagnol et le passé indien, les libéraux ont postulé une universalité abstraite, composée des idéologies progressistes de l'époque. Les Etats-Unis étaient l'exemple vivant de cette universalité : dans leur présent, nous pouvions lire notre avenir. Miroir indiscret : comme la marâtre du conte, chaque fois que nous lui demandions à voir notre image, il nous renvoyait celle de l'*autre*.

Les conservateurs pensaient que les Etats-Unis, loin d'être un modèle, représentaient une menace pour notre souveraineté et notre identité. La contagion idéologique ne leur semblait pas moins dangereuse que l'agression physique : pour eux, c'était une forme complémentaire d'immixtion. Si le futur proposé par les libéraux était une aliénation, la défense de notre présent exigeait, pour la même raison complémentaire, celle de notre passé. Le raisonnement des conservateurs n'était irréprochable qu'en apparence : ce passé qu'ils s'obstinaient à défendre et que, non sans raison, ils identifiaient avec le présent, était un passé en décomposition. J'ai déjà signalé que la tradition de la Nouvelle-Espagne — une tradition admirable et que les Mexicains modernes ont commis la sottise d'ignorer, voire de mépriser — n'offrait pas d'éléments ni de principes qui auraient pu servir à résoudre le double problème auquel la nation était confrontée : l'indépendance et la modernisation. Le premier problème exigeait de trouver la forme politique et l'organisation sociale que le Mexique indépendant devrait adopter ; le second consistait à élaborer un programme viable qui, en évitant trop de secousses, permettrait enfin au pays d'entrer dans cette modernité qui, jusque-là, lui avait été interdite par l'Empire espagnol. Comme toute l'Amérique hispanique, le Mexique se trouvait condamné à être à la fois libre et moderne, mais sa tradition avait toujours nié et la liberté et la modernité.

L'Indépendance ne fut pas tant une conséquence du triomphe des idées libérales — adoptées seulement par une minorité — que de deux circonstances peu étudiées à ce jour. La première fut la désintégration de l'Empire espagnol. Sur ce point, il convient de répéter — quitte à ce qu'une telle affirmation fasse froncer les sourcils de plus d'un lecteur — que l'Indépendance de l'Amérique espagnole ne fut pas seulement due à l'action des insurgés, mais, plus que tout, à l'inertie et à la paralysie de la Métropole. L'Amérique hispanique était un continent jeune et rebelle, mais sain ; la Métropole, quant à elle, était une âme endormie dans un corps exsangue. Cette image rend compte du phénomène de l'Indépendance avec plus d'économie et non moins de justesse que les explications idéologiques. La seconde circonstance déterminante fut l'existence d'une contradiction sociale en Nouvelle-Espagne. Cette contradiction, insoluble dans le cadre des fondements de l'ordre de la Nouvelle-Espagne et qui n'est pas sans rappeler celle que les Etats-Unis vivent aujourd'hui face aux minorités ethniques, résidait dans l'opposition entre créoles et métis. La classe dirigeante créole postulait un universalisme abstrait, mais les métis — la nouvelle réalité historique — ne pouvaient trouver place, si ce n'est métaphoriquement, dans cet universalisme. Héritiers du double universalisme hispanique — l'Empire et l'Eglise — les créoles avaient rêvé, sous l'influence des jésuites au XVIIIe siècle, d'un Empire mexicain : la Nouvelle-Espagne aurait été l'Autre Espagne. L'Indépendance a consommé les aspirations séparatistes des créoles. Pourtant, les véritables vainqueurs ne furent pas ceux-ci, mais bien d'autres qui, jusqu'alors, avaient constitué un groupe marginal par rapport à la société de Nouvelle-Espagne : les métis. Le Mexique ne devint pas un Empire, mais une République, et l'idéologie qui nourrit sa caste au pouvoir ne fut pas celle d'un empire catholique, mais le nationalisme bourgeois.

L'épisode de Maximilien illustre cruellement le caractère illusoire du projet conservateur. Faire appel à un prince européen pour fonder un empire latin destiné à endiguer l'expansion de la république yankee n'était pas une solution complètement saugrenue en 1820, mais elle était devenue anachronique en 1860. La solution monarchique avait cessé d'être viable parce que la monarchie s'identifiait avec la situation antérieure à l'Indépendance. L'opposition entre les créoles et les Espagnols avait été la cause déterminante du mouvement séparatiste. Dès le début des hostilités, les métis et de nombreux Indiens — c'est-à-dire les classes déshéritées — avaient participé aux combats pour l'Indépendance. Une fois celle-ci consommée, il était naturel que ces groupes n'eussent aucun intérêt à restaurer le système monarchique. Il ne faut y voir nul esprit républicain de leur part, mais bien l'opposition à une monarchie qui signifiait la légitimation et la consécration des hiérarchies sociales. Les métis, la partie la plus vive et dynamique de la société, recherchaient un statut social, économique et politique. La République démocratique ouvrait les portes à leurs aspirations et à leurs ambitions, quoique celles-ci n'eussent pas beaucoup à voir ni avec l'esprit républicain ni avec la démocratie.

L'idéologie libérale ne fut pas une véritable solution. Le nationalisme des républicains était une pâle imitation du nationalisme français ; leur fédéralisme — copié sur celui des Etats-Unis — était un « caciquisme »[1] déguisé ;

1. Mot forgé sur celui de cacique. Il désigne l'influence et le pouvoir excessifs exercés par de puissants personnages locaux. *(N.d.T.)*

leur démocratie, la façade de la dictature. En lieu et place de monarques, nous avons eu des dictateurs. Le changement d'idéologie ne s'est pas davantage traduit par un changement des structures sociales et, moins encore, des structures psychiques. Les lois seules ont changé, non les hommes ni les rapports de propriété et de domination. Pendant les guerres civiles et les conflits extérieurs du XIXe siècle, l'aristocratie créole a été détrônée par les couches métisses de la population. Les nouveaux groupes dirigeants ont été mis à l'école de l'Armée. Le régime s'est appuyé sur la force militaire ; il a brigué et obtenu la protection des puissances étrangères, surtout les Etats-Unis. Durant la seconde moitié du XIXe siècle, la première partie de la carrière impériale de la république nord-américaine coïncide avec l'affermissement de notre régime libéral, qui n'a pas tardé à se transformer en dictature. C'est un phénomène qui, *mutatis mutandis*, se répète dans toute l'Amérique hispanique. La révolution libérale, commencée à l'Indépendance, ne s'est pas traduite par l'implantation d'une véritable démocratie ni par la naissance d'un capitalisme national, mais par une dictature militaire et un régime caractérisé par le latifundisme et les concessions à des entreprises et des consortiums étrangers, en particulier nord-américains. Le libéralisme n'a guère été fécond ; il n'a rien produit de comparable aux créations précolombiennes ou à celles de la Nouvelle-Espagne : ni les pyramides ni les couvents, ni les mythes cosmogoniques ni les poèmes de Sor Juana Inés de la Cruz.

Le Mexique continuait d'être ce qu'il avait été, mais en ne croyant plus dans ce qu'il était. Les vieilles valeurs s'étaient écroulées, non les vieilles réalités. Elles furent bientôt recouvertes par les nouvelles valeurs progressistes et libérales. Réalités déguisées : ce fut le début de l'inauthenticité et du mensonge, maladies endémiques des pays latino-américains. A l'aube du XXe siècle, nous étions déjà installés en pleine pseudo-modernité : les chemins de fer et les latifundia, une constitution démocratique et un caudillo dans la meilleure tradition hispano-arabe, des philosophes positivistes et des caciques précolombiens, la poésie symboliste et l'analphabétisme. L'adoption du modèle nord-américain a contribué à la désagrégation des valeurs traditionnelles ; l'action politique et économique de l'impérialisme yankee a fortifié les structures sociales et politiques archaïques. Cette contradiction a révélé que l'ambivalence du géant, loin d'être imaginaire, était bel et bien réelle : le pays de Thoreau était aussi celui de Roosevelt-Nabuchodonosor[1].

*

La Révolution mexicaine fut une tentative pour récupérer notre passé et pour élaborer enfin un projet national qui ne fût pas la négation de ce que nous avions été. Une remarque, au passage : en parlant de la Révolution mexicaine comme si elle était *une*, je ne commets pas seulement une inexactitude, mais une simplification. Dès le début, le mouvement s'est déployé dans de nombreuses directions contradictoires. Mais tous ces mouvements, loin de postuler en priorité des programmes idéologiques et des philosophies politiques, ont été avant tout des réactions populaires, des soulèvements spontanés autour d'un chef. Le mot révolte serait plus pertinent que celui de révolution. Parmi les groupes révolutionnaires, il y en avait un qui, instinctivement, s'est proposé de rectifier le cap choisi par nos groupes dirigeants depuis l'Indépendance. Je veux parler du mouvement de paysans qui avait à sa tête Emiliano Zapata. Ce que les Zapatistes demandaient et voulaient réellement, c'était un retour aux origines, c'est-à-dire à un type de

1. Allusion au poème « A Roosevelt » de Rubén Darío, dans les *Chants de vie et d'espérance. (N.d.T.)*

179

société agraire précapitaliste : le hameau fondé sur l'autarcie, caractérisé par la propriété communale de la terre et où la cellule sociale, économique et spirituelle de la communauté n'était pas l'individu, mais la famille. Les Zapatistes portaient l'étendard de la Vierge de Guadalupe, celle-là même qui avait servi de drapeau aux paysans nu-pieds qui s'étaient battus pour l'Indépendance. L'image de la Vierge exprime admirablement la marche non pas vers le progrès et la « modernisation », mais vers les origines : le retour aux racines. *Restituer la terre aux villages*[1] : cette phrase, noyau du programme de Zapata, montre à suffisance le véritable sens de son mouvement ; il voulait revenir à une situation — réalité historique pour une part et mythe millénariste pour l'autre — qui était la négation même du programme de « modernisation » du libéralisme et de son héritier, le régime du général Porfirio Díaz. Par contre, les autres tendances révolutionnaires étaient bien décidées à poursuivre l'œuvre de « modernisation » des libéraux et des positivistes, mais par des moyens différents.

La faction victorieuse a élaboré un programme qui tentait d'harmoniser les diverses aspirations des révolutionnaires. Plus qu'une synthèse, le résultat fut un compromis. On a dressé des autels civiques à Zapata — le Mexique est la terre d'élection de l'art officiel et bureaucratique — mais le programme de « modernisation », sous différentes étiquettes, s'est converti en dogme central du régime qui nous gouverne depuis plus de cinquante ans. Les événements ultérieurs sont bien connus : la Révolution mexicaine a été confisquée par une bureaucratie politique qui n'est pas sans rappeler les bureaucraties communistes de l'« Europe de l'Est » et par une classe capitaliste façonnée à l'image et à la ressemblance du capitalisme nord-américain et dépen-

---

1. L'espagnol *pueblos* désigne à la fois les villages et les peuples (les petites gens). *(N.d.T.)*

dant de celui-ci. En dehors de nous, une poignée d'ex-
centriques qui nous défions du « développement » et qui
souhaiterions un changement d'orientation de notre société, tout le Mexique politique contemporain, aussi
bien les factions de droite que celles de gauche, même
lorsqu'elles sont irréconciliables, tout le monde s'ac-
corde dans le même culte suicidaire du progrès.

Voyager aux Etats-Unis, c'est, pour un Mexicain, pénétrer dans le château du géant et parcourir ses salles de
tortures et ses chambres de merveilles. Mais il y a une
différence : alors que le château de l'ogre nous surprend
par son archaïsme, celui des Etats-Unis nous étonne par
sa nouveauté. Notre présent est toujours un peu en
arrière du véritable présent, tandis que le leur est toujours un peu en avant. L'avenir est déjà écrit dans leur
présent ; le nôtre est encore lié au passé. Mais je me
trompe en usant du singulier pour évoquer notre passé :
ils sont nombreux, tous bien vivants et en lutte permanente à l'intérieur de nous. Aztèques, Mayas, Otomis,
Castillans, Maures, Phéniciens, Galiciens : lacis de racines et de branches qui nous étouffent. Comment cohabi-
ter avec eux sans être leur prisonnier ? Voilà la question
que nous nous posons sans cesse et à laquelle nous
n'avons pas réussi à donner une réponse définitive.
Nous n'avons pas su assumer notre passé, peut-être
parce que nous n'avons pas su davantage en faire la
critique. Les Nord-Américains connaissent une difficulté
exactement contraire : ils sont nés comme une critique
tranchante du passé. Cette critique a constitué une affirmation non moins tranchante des valeurs de la modernité, telles que les avaient définies d'abord la Réforme,
ensuite les Lumières. Je ne veux pas dire qu'ils ne
possèdent pas un passé, mais que ce passé est tourné
vers le futur.

La tradition nord-américaine est la conquête du futur.
C'est pourquoi cette tradition est celle du changement,
tandis que la tradition hispanique est celle de la résis-

tance au changement, de la Contre-Réforme. L'Espagne et ses œuvres : des constructions perdurables et des signifiés éternels, intemporels. La valeur, pour nous, est synonyme de durée. L'héritage précolombien accentue ce penchant : la pyramide est l'image même de l'immuable. Les oppositions entre Nord-Américains et Mexicains se condensent dans nos attitudes respectives face au changement. Pour nous, le secret n'est pas d'arriver avant, mais de rester où l'on est. C'est l'opposition entre le vent et la montagne. Je ne parle pas en termes d'idées et de philosophies, mais de croyances et de structures mentales inconscientes. Quelle que soit notre idéologie, même progressiste, nous confrontons instinctivement le présent au passé, alors que les Nord-Américains s'en réfèrent au futur. Les travailleurs mexicains émigrés aux Etats-Unis ont manifesté une remarquable capacité d'inadaptation à la société nord-américaine. Cette capacité se définit par l'insensibilité devant le futur. En eux, le passé est bien vivant. C'est ce même passé qui a préservé les Chicanos[1], sans doute la minorité des Etats-Unis qui a le mieux conservé son identité. Au Mexique, ceux qui ont le mieux résisté ne sont pas les professionnels de l'anti-impérialisme, mais les humbles gens qui font des pèlerinages au Sanctuaire de la Vierge de Guadalupe. Notre pays survit grâce à son traditionalisme.

Depuis le XVIIIe siècle, la tradition sur laquelle se sont fondés le Mexique et les autres pays d'Amérique hispanique a révélé ses lacunes et ses limites. L'Empire espagnol n'a pu se transformer et c'est pourquoi il s'est brisé en tant de fragments. Maintenant, l'adoption de la tradition incarnée par les Etats-Unis est échue à nos pays. Les idées qui constituent la modernité depuis plus de deux siècles et qui forment un tout qu'on peut appeler la *tradition du futur* ont perdu une bonne part de leur

1. Déformation anglo-saxonne de *Mexicanos*. *(N.d.T.)*

prestige universel. Plus encore, nombreux sont ceux qui doutent de leur cohérence et de leur valeur. Le progrès était une idée non moins mystérieuse que la volonté d'Allah pour les musulmans ou la Trinité pour les catholiques, mais il a alimenté les esprits et animé les volontés pendant deux siècles. Aujourd'hui, nous nous posons la question suivante : un progrès vers quoi et pour quoi faire ? Il serait inutile de s'étendre sur les symptômes de ce qu'on baptise depuis plus de cinquante ans « la crise de la civilisation occidentale ». Durant la dernière décennie, cette crise s'est manifestée de façon aiguë dans la nation la plus puissante, la plus riche et prospère de notre monde : les Etats-Unis. Fondamentalement, ce n'est pas une crise économique ni de puissance militaire — bien qu'elle affecte et leur économie et leur stratégie mondiale — mais une crise politique et morale. C'est une mise en doute du chemin emprunté par la nation, de ses buts et des moyens pour y parvenir ; c'est une critique de la compétence et de la probité des hommes et des partis qui dirigent le système ; enfin, plus qu'une interrogation, c'est un jugement des principes qui ont fourni la base et la justification de la société nord-américaine.

Beaucoup de problèmes auxquels les Etats-Unis sont affrontés — et même s'ils sont loin d'être insignifiants — sont plutôt des symptômes que des causes directes du mal dont ils souffrent. C'est le cas, pour citer un exemple notoire et relativement récent, de la rébellion des jeunes dans les années soixante. Le problème racial, par contre, affecte la vie du pays d'une façon permanente et plus profonde : c'est une plaie ouverte, un foyer constant d'infection. Les Etats-Unis sont placés devant un dilemme : la prolongation de la discorde civile ou la construction d'une démocratie multiraciale. Il n'est pas illusoire de penser qu'ils choisiront la seconde solution. En fait, ils l'ont déjà choisie et c'est dans ce sens qu'ils s'acheminent, non sans embûches ni déviations. D'autres oppositions, présentes depuis la naissance de la nation, sont d'ordre plus fondamental encore. Toutes les sociétés portent au fond d'elles-mêmes un principe de vie qui est également un principe de mort. Ce principe est nécessairement duel et, dans les époques de crise, il revêt la forme d'une contradiction. Il s'agit de questions de vie ou de mort comme l'ont été, pour les *polis* grecques, les guerres et les rivalités entre les cités ou, pour les empereurs romains des IIIe et IVe siècles, la recherche d'une politique face au christianisme et aux sectes gnostiques. La contradiction des Etats-Unis — celle qui leur a donné la vie et peut provoquer leur perte — se résume en deux phrases : ils sont en même temps une démocratie ploutocratique et une république impériale.

La première contradiction affecte les deux notions qui furent l'axe de la pensée politique des « pères fondateurs ». La ploutocratie suscite et accentue l'inégalité ; à son tour, l'inégalité transforme en chimères les libertés politiques et les droits individuels. En cela, la critique de Marx est allée droit dans la cible. Certes, la ploutocratie nord-américaine, contrairement à celle de Rome, est créatrice d'abondance et peut ainsi adoucir et alléger les différences injustes entre les individus et les classes. Mais elle le fait en transportant les inégalités les plus scandaleuses de l'orbite nationale vers la sphère internationale : les pays sous-développés. D'aucuns pensent que, à défaut de pouvoir l'éliminer tout à fait, on pourrait également réduire au minimum cette inégalité internationale. L'histoire récente dément cette hypothèse. Et même si elle se révélait exacte, on oublierait encore un facteur essentiel ; l'argent ne fait pas qu'opprimer : il corrompt. Et il corrompt aussi bien les pauvres que les riches. Sur ce point, les moralistes de l'Antiquité, surtout les stoïciens et les épicuriens, en savaient plus que nous. La démocratie nord-américaine a été corrompue par l'argent.

La seconde contradiction, étroitement liée à la première, naît de ce que sont les Etats-Unis à l'intérieur (une démocratie) et de ce que représente leur action à l'extérieur (un empire). Oppression et liberté sont les deux faces opposées et complémentaires de leur être national. De la même façon que la ploutocratie commence par engendrer l'inégalité et finit par enlever sa raison d'être à la liberté, par un processus insensible et que le scandale du Watergate a mis à nu, les armes maniées par l'Etat impérial contre ses ennemis extérieurs se transforment fatalement en instruments utilisés par la bureaucratie politique contre les citoyens indépendants. Les nécessités de l'empire créent une bureaucratie spécialisée dans l'espionnage et les autres méthodes de la lutte internationale ; de son côté, cette bureaucratie menace la démocratie nationale.

La première contradiction a mis fin aux institutions républicaines de la Rome antique. La seconde en a fini avec la vie même d'Athènes comme cité indépendante. Je ne prononce pas la sentence de mort de la démocratie nord-américaine : ce ne serait pas seulement téméraire, mais ridicule. Les analogies historiques sont utiles en tant que figures rhétoriques ; ce ne sont pas des lois historiques, mais des métaphores. Toute réflexion sur la crise traversée par la république des Etats-Unis doit se terminer par une question. En premier lieu, il n'y a pas de déterminismes historiques. Ou plutôt : s'ils existent, nous ne les connaissons pas et il ne nous serait pas facile d'arriver à les connaître car ils seraient trop vastes et complexes. En second lieu, les sociétés ne meurent pas victimes de leurs contradictions, mais de leur incapacité à les résoudre. Le cas échéant, une sorte de paralysie immobilise le corps social, d'abord les centres pensants et délibératifs, ensuite les mains exécutrices. La paralysie est la réponse de la société à des questions sur lesquelles sa tradition et les enseignements de son histoire n'offrent d'autre réplique que le silence. Voilà ce qui s'est passé avec l'Empire espagnol. Toutes les disgrâces des peuples hispano-américains sont de lointains effets de cette stupeur faite d'obstination, d'orgueil et d'aveuglement qui a saisi la monarchie autrichienne au milieu du XVIIᵉ siècle. Les Nord-Américains sont confrontés à une conjoncture très différente. Si la réponse n'est pas dans les principes mêmes qui les ont fondés, ils renferment, en tout cas, la méthode pour la trouver. Cette méthode n'est pas différente de celle qu'utilisent les puritains pour scruter la volonté de Dieu dans leur conscience : l'examen intérieur, l'expiation, la propitiation et l'acte qui nous réconcilie avec nous-mêmes et avec les autres.

Juin 1976.

CHAPITRE II

L'Amérique latine
et la démocratie

La tradition antimoderne

La relation qu'entretiennent la société et la littérature n'est pas un rapport de cause à effet. Le lien qui les unit est, à la fois, nécessaire, contradictoire et imprévisible. La littérature exprime la société ; en l'exprimant, elle la modifie, la contredit ou la nie. En la décrivant, elle l'invente ; en l'inventant, elle la révèle. La société ne se reconnaît pas dans le portrait que lui présente la littérature ; pourtant, ce portrait fantastique est réel : c'est celui de l'inconnu qui marche à notre côté depuis l'enfance et duquel nous ne savons rien, sinon qu'il est notre ombre (ou sommes-nous la sienne ?). La littérature est une réponse aux questions que la société se pose sur elle-même, mais cette réponse est presque toujours inattendue : l'obscurité d'une époque coïncide avec l'éclair énigmatique d'un Góngora ou d'un Mallarmé, la clarté rationnelle de l'Encyclopédie avec les visions nocturnes du romantisme. Le cas de l'Amérique latine illustre bien l'extrême complexité des relations entre l'histoire et la littérature. Aussi bien en Amérique hispanique qu'au Brésil, ce siècle aura vu surgir de nombreuses œuvres remarquables, parfois exceptionnelles, dans les domaines de la poésie et de la fiction narrative. Peut-on observer un phénomène semblable en matière politique et sociale ?

Dès la fin du XVIIIᵉ siècle, les meilleurs et les plus actifs des Latino-Américains ont entrepris un vaste mouvement de réforme sociale, politique et intellectuelle. Ce mouvement n'est pas encore terminé et a suivi des directions variées, parfois incompatibles. Bien que d'une façon assez vague, un mot permet de définir ces diverses tentatives : la *modernisation*. En même temps que les sociétés latino-américaines s'efforçaient de changer leurs institutions, leurs coutumes et leurs manières d'être et de penser, la littérature hispano-américaine vivait des changements aussi profonds. L'évolution de la société et celle de la littérature ont donc correspondu sans être parallèles, et elles ont produit des résultats différents. Autrefois, j'avais abordé ce thème en me demandant si la littérature latino-américaine était réellement moderne. J'avais répondu par l'affirmative, tout en exprimant une réserve : il manquait à cette littérature la pensée critique qui a fondé l'Occident moderne. Aujourd'hui, je me propose d'explorer l'autre versant du problème : les sociétés latino-américaines sont-elles modernes ? Et si elles ne le sont pas ou le sont d'une façon hybride et incomplète, quelle en est la raison ? Il est clair que ma réflexion exclut toute prétention théorique : c'est une simple opinion.

Depuis près de deux siècles, on a vu se multiplier les équivoques sur la réalité historique de l'Amérique latine. Même les noms qui prétendent la désigner souffrent d'inexactitude : Amérique latine, Amérique hispanique, Ibéro-Amérique, Indo-Amérique ? Chacune de ces appellations ne tient pas compte d'une part de la réalité. Et les étiquettes économiques, sociales et politiques ne sont guère plus fidèles. La notion de *sous-développement*, par exemple, peut s'appliquer à l'économie et à la technique, mais non à l'art, à la littérature, à la morale ou à la politique. Plus vague encore est l'expression *Tiers Monde*. Cette dénomination est non seulement imprécise, mais trompeuse : quel rapport y a-t-il entre l'Argentine et l'Angola, entre la Thaïlande et le Costa Rica, entre la Tunisie et le Brésil ? En dépit d'un ou deux siècles de domination européenne, ni l'Inde ni l'Algérie n'ont changé de langue, de religion et de culture. On pourrait en dire autant de l'Indonésie, du Viêt-nam, du Sénégal et, en fin de compte, de la majorité des anciennes possessions européennes en Asie et en Afrique. Un Iranien, un Hindou ou un Chinois appartiennent à des civilisations différentes de celle de l'Occident. Nous, Latino-Américains, nous parlons espagnol ou portugais ; nous sommes ou avons été chrétiens ; nos coutumes, nos institutions, nos arts et nos littératures viennent directement d'Espagne et du Portugal. C'est pourquoi nous représentons un des pôles américains de l'Occident ; le second est constitué par les Etats-Unis et le Canada. Mais à peine affirmons-nous que nous sommes une prolongation ultra-marine de l'Europe, que les différences sautent aux yeux. Elles sont nombreuses et, surtout, décisives.

La première différence est la présence d'éléments non européens. Dans beaucoup de nations latino-américaines, il existe d'importantes communautés indiennes ; ailleurs, ce sont des populations noires. Les seules exceptions sont l'Uruguay, l'Argentine, une partie du Chili et du Costa Rica. Les Indiens se divisent en deux branches : d'une part, ceux qui descendent des grandes civilisations précolombiennes du Mexique, de l'Amérique centrale et du Pérou ; de l'autre, moins nombreux, les survivants des populations nomades. Tous ces Indiens, en particulier les premiers, ont affiné la sensiblité et excité la fantaisie de nos peuples ; ainsi, maints traits de leur culture, mélangés aux traits hispaniques, apparaissent dans nos croyances, nos institutions et nos coutumes : la famille, la morale sociale, la religion, les légendes et contes populaires, les mythes, les arts, la cuisine. L'influence des populations noires s'est avérée également puissante. En général, il me semble qu'elle s'est exercée dans un sens opposé à celle des Indiens : alors que la culture de ceux-ci tend à maîtriser les passions et cultive la réserve et l'intériorité, celle des Noirs exalte les valeurs orgiaques et corporelles.

La deuxième différence, aussi profonde, est née d'une circonstance fréquemment oubliée : le caractère particulier de la version de la civilisation occidentale incarnée par l'Espagne et le Portugal. A la différence de leurs rivaux anglais, hollandais et français, les Espagnols et les Portugais furent dominés durant des siècles par l'islam. Mais parler de domination est mensonger : la splendeur de la civilisation hispano-arabe ne laisse pas de nous surprendre et ces siècles de lutte furent aussi des moments de coexistence intime. Jusqu'au XVIe siècle, les musulmans, les juifs et les chrétiens vécurent ensemble dans la Péninsule. Il est impossible de comprendre l'Espagne et le Portugal, tout comme le caractère véritablement unique de leur culture, si on oublie ces circonstances. La fusion entre les domaines politique et religieux, par exemple, ou la notion de *croisade*, apparaissent dans les attitudes hispaniques avec une coloration plus intense et plus vive que chez les autres peuples d'Europe. Il n'est pas exagéré de voir dans ces caractéristiques les traces de l'islam et de sa vision du monde et de l'histoire.

La troisième différence, à mon sens, a été déterminante. Un des événements qui marquèrent le début du monde moderne, avec la Renaissance et la Réforme, fut l'expansion européenne en Asie, en Afrique et en Amérique. Ce mouvement prit naissance avec les découvertes et les conquêtes des Espagnols et des Portugais. Néanmoins, peu de temps après, et avec la même violence, l'Espagne et le Portugal se coupèrent des autres peuples et, enfermés sur eux-mêmes, nièrent la modernité naissante. L'expression la plus complète, la plus radicale et la plus cohérente de cette négation fut la Contre-Réforme. La monarchie espagnole s'identifia avec une foi universelle et avec une seule interprétation de cette foi. Le monarque espagnol devint un hybride de Théodose le Grand et d'Abd al-Rahman III, premier calife de Cordoue. Ainsi, alors que les autres Etats européens tendaient de plus en plus à représenter la nation et à défendre ses valeurs particulières, l'Etat espagnol confondit sa cause avec celle d'une idéologie. L'évolution générale de la société et des Etats traduisait une affirmation des intérêts spécifiques de chaque nation, c'est-à-dire que la politique se voyait dépouillée de son caractère sacré, donc relativisée. L'idée de la mission universelle du peuple espagnol, défenseur d'une doctrine réputée juste et vraie, constituait une survivance médiévale et arabe ; greffée sur la monarchie hispanique, elle commença par inspirer ses actions, mais finit par l'immobiliser. Le plus étrange est que cette conception théologico-politique ait réapparu de nos jours. A ceci près qu'elle ne s'identifie plus avec une révélation divine : elle se présente comme le masque d'une prétendue science universelle de l'histoire et de la société. La vérité révélée est devenue « vérité scientifique » et ne s'incarne plus dans une Eglise et dans un Concile, mais dans un Parti et dans un Comité.

Le XVIIᵉ siècle est le grand siècle espagnol : Quevedo et Góngora, Lope de Vega et Calderón, Vélasquez et Zurbarán, l'architecture et la néo-scolastique. Cependant, il serait vain de chercher parmi ces grands noms celui d'un Descartes, d'un Hobbes, d'un Spinoza ou d'un Leibniz. Non plus qu'un Galilée ou un Newton. La théologie ferma les portes de l'Espagne à la pensée moderne et le siècle d'or de sa littérature et de ses arts fut aussi celui de sa décadence intellectuelle et de sa ruine politique. Le clair-obscur est encore plus frappant en Amérique. Depuis Montaigne, on a souligné les horreurs de la Conquête ; il conviendrait de rappeler également les créations américaines des Espagnols et des Portugais : elles furent admirables. Ils fondèrent des sociétés complexes, riches et originales, à l'image des cités qu'ils érigèrent, à la fois solides et fastueuses. Un axe double régissait ces vice-royautés et ces capitaineries générales, l'un vertical et l'autre horizontal. Le premier était hiérarchique et ordonnait la société suivant l'ordre descendant des classes et des groupes sociaux : seigneurs, gens du commun, Indiens, esclaves. Le second, l'axe horizontal, à travers la pluralité des juridictions et des statuts, unissait dans un réseau inextricable de droits et de devoirs les différents groupes sociaux et ethniques, avec leurs particularismes respectifs. Inégalité et vie en commun : principes opposés et complémentaires. Si de telles sociétés n'étaient pas modernes, elles n'étaient pas non plus barbares.

L'architecture est le miroir des sociétés. Mais ce miroir nous présente des images énigmatiques que nous devons déchiffrer. C'est ainsi que la richesse et le raffinement de villes comme Mexico et Puebla, au milieu du XVIIIe siècle, contrastent avec l'austère simplicité, proche de la pauvreté, de Boston ou de Philadelphie. Splendeur trompeuse : ce qui, aux Etats-Unis, représentait l'aurore, en Amérique hispanique était le crépuscule. Les Nord-Américains naquirent avec la Réforme et l'Encyclopédie, c'est-à-dire avec le monde moderne ; nous autres, avec la Contre-Réforme et la néo-scolastique, autrement dit contre le monde moderne. Nous n'avons connu ni révolution intellectuelle ni révolution démocratique de la bourgeoisie. Le fondement philosophique de la monarchie catholique et absolue trouve son origine dans la pensée de Suárez et de ses disciples de la Compagnie de Jésus. Ces théologiens renouvelèrent, avec génie, le thomisme et le transformèrent en forteresse philosophique. L'historien Richard Morse[1] a montré avec beaucoup de finesse que la fonction du néo-tho-

1. Cf. R. Morse, « La cultura política iberoamericana, de Sarmiento a Mariátegui », in *Vuelta*, nº 58, septembre 1981.

misme était double : d'une part, de façon explicite ou implicite, il représentait la base idéologique, le mur de soutènement de l'imposant édifice politique, juridique et économique que nous appelons Empire espagnol ; de l'autre, il constituait l'école de notre classe intellectuelle et modelait ses habitudes et ses attitudes. Dans ce sens — non comme philosophie mais comme attitude morale — son influence est encore sensible parmi les intellectuels d'Amérique latine.

A ses débuts, le néo-thomisme fut un courant de pensée destiné à défendre l'orthodoxie contre les hérésies luthériennes et calvinistes, ces deux premières expressions de la modernité. Contrairement aux autres tendances philosophiques de cette époque, le néo-thomisme ne fut pas une méthode d'exploration de l'inconnu, mais un système visant à préserver les choses connues et établies. L'âge moderne commence avec la critique des vérités premières ; la néo-scolastique se fixa pour objectif de défendre ces principes et de démontrer leur caractère nécessaire, éternel et immuable. Bien qu'au XVIIIᵉ siècle, cette philosophie ait disparu de l'horizon intellectuel en Amérique latine, les attitudes et les habitudes qui lui étaient consubstantielles ont survécu jusqu'à nos jours. Nos intellectuels ont embrassé successivement le libéralisme, le positivisme et, aujourd'hui, le marxisme-léninisme ; pourtant, chez la majorité d'entre eux, sans distinction de philosophies, il n'est pas difficile de déceler les attitudes psychologiques et morales des anciens champions de la néo-scolastique. Modernité paradoxale : les idées sont d'aujourd'hui, les attitudes sont celles d'hier. Leurs aïeux juraient par saint Thomas, eux ne jurent que par Marx, mais, pour les uns comme pour les autres, la raison est une arme au service d'une Vérité. La mission de l'intellectuel est de la sauvegarder. Leur conception de la culture et de la pensée est polémique et combative : ce sont des croisés. Ainsi ont-ils perpétué sur nos terres une tradition intellectuelle peu respectueuse de l'opinion d'autrui, qui préfère les idées à la réalité et les systèmes intellectuels à la critique des systèmes.

Indépendance, modernité, démocratie

A partir de la seconde moitié du XVIIIe siècle, les nouvelles idées ont gagné l'Espagne et ses possessions d'outre-mer, mais avec lenteur et comme timidement. La langue espagnole possède un mot qui exprime très bien la nature de ce mouvement, à la fois dans son inspiration originale et dans ses limites : *européaniser*. La rénovation du monde hispanique, sa modernisation, ne pouvait résulter de l'implantation de principes spécifiques, élaborés par nous-mêmes, mais bien de l'adoption d'idées étrangères, celles des Lumières européennes. C'est pourquoi le terme *européaniser* a été employé comme synonyme de moderniser ; plus tard, un autre mot allait surgir, doté d'une même signification : *américaniser*. Pendant tout le XIXe siècle, aussi bien dans la péninsule Ibérique qu'en Amérique latine, les minorités éclairées utilisèrent différents moyens, souvent violents, pour assurer le changement dans nos pays et franchir le pas vers la modernité. Ceci explique que le mot *révolution* ait aussi été synonyme de *modernisation*. Nos guerres d'indépendance peuvent (ou doivent) être considérées dans cette perspective : leur objectif n'était pas seulement la séparation d'avec l'Espagne, mais, grâce à un bond révolutionnaire, la transformation des nouveaux Etats en nations véritablement modernes. C'est là un trait commun à tous les mouvements séparatistes, même si chacun d'eux a présenté, suivant la région, des caractères distinctifs.

Les révolutionnaires latino-américains se sont inspirés d'un double modèle : la Révolution d'indépendance des Etats-Unis et la Révolution française. En réalité, on pourrait dire que le XIXᵉ siècle commence avec trois grandes révolutions : la Révolution nord-américaine, la Révolution française et celle des nations d'Amérique latine. Toutes trois triomphèrent sur les champs de bataille, mais leurs conséquences politiques et sociales furent différentes dans chaque cas. Les Etats-Unis virent apparaître la première société authentiquement moderne, bien que ternie par l'esclavage des Noirs et l'extermination des Indiens. Quoique la France révolutionnaire ait connu des changements substantiels et radicaux, la nouvelle société hérita, sous de nombreux aspects, de la France centraliste de Richelieu et de Louis XIV, ainsi que l'a démontré Tocqueville. En Amérique latine, les peuples conquérirent l'indépendance et commencèrent à se gouverner eux-mêmes ; pourtant, les révolutionnaires ne réussirent jamais, sauf en théorie, à instaurer des régimes et des institutions réellement libres et démocratiques. La Révolution nord-américaine fonda une nation ; la Révolution française modifia et renouvela la société ; les révolutions d'Amérique latine échouèrent dans un de leurs principaux objectifs : la modernisation politique, sociale et économique.

En France comme aux Etats-Unis, les révolutions furent la conséquence de l'évolution historique des deux nations ; les mouvements latino-américains se contentèrent d'adopter des doctrines et des programmes étrangers. Je dis bien : adopter, et non adapter. L'Amérique latine ne connaissait pas la tradition intellectuelle qui, depuis la Réforme et l'Encyclopédie, avait formé les consciences et les mentalités des élites françaises et nord-américaines ; on n'avait pas vu davantage s'y développer les classes sociales qui correspondaient, historiquement, à la nouvelle idéologie libérale et démocratique. C'est à peine s'il existait une classe moyenne, et notre bourgeoisie n'avait pas dépassé le stade du mercantilisme. En France, il y avait une relation organique entre les idées de ces classes sociales et les groupements

195

révolutionnaires. Et on pourrait en dire autant de la Révolution nord-américaine. Chez nous, par contre, les idées ne correspondaient pas aux classes. Les idées remplirent une fonction de masques ; ainsi se transformèrent-elles en idéologie, dans le mauvais sens du terme, c'est-à-dire en voiles qui interceptent et défigurent la perception de la réalité. L'idéologie convertit les idées en écrans : elles cachent le sujet et, en même temps, l'empêchent de voir le réel. Elles aveuglent autrui et nous aveuglent nous-mêmes.

L'indépendance latino-américaine coïncide avec un moment de profonde léthargie de l'Empire espagnol. En Espagne, l'unité nationale s'était réalisée non par la fusion des différents peuples de la Péninsule ni par leur libre association, mais à travers une politique dynastique faite d'alliances et d'annexions forcées. La crise de l'Etat espagnol, précipitée par l'invasion napoléonienne, marqua le début de la désintégration. Voilà pourquoi le mouvement d'émancipation des nations hispano-américaines (le cas du Brésil est différent) doit se comprendre comme un processus de désagrégation. A la manière d'une nouvelle mise en scène de la vieille histoire hispano-arabe et de ses cheiks en révolte, de nombreux dirigeants révolutionnaires considérèrent les terres libérées comme s'ils les avaient conquises à leur profit. Ainsi, les frontières de certaines nouvelles nations coïncidèrent avec celles qu'avaient dessinées les armées de libération. Le résultat fut l'atomisation de régions entières, comme en Amérique centrale et aux Antilles. Les caudillos inventèrent des pays qui n'étaient viables ni sur le plan politique ni sur le plan économique et qui, en outre, manquaient d'une véritable physionomie nationale. Contrairement aux prévisions du sens commun, on a vu subsister les dictatures, avec la complicité des oligarchies locales et de l'impérialisme.

La dispersion fut un des résultats de l'Indépendance ;

le second, ce furent l'instabilité, les guerres civiles et les dictatures. Après la chute de l'Empire espagnol et de son administration, deux groupes se partagèrent le pouvoir : les oligarchies locales dans le domaine économique et les militaires sur le plan politique. Les oligarchies étaient incapables de gouverner en leur propre nom. Sous le régime espagnol, la société civile, loin de croître et de se développer comme dans les autres pays occidentaux, avait vécu à l'ombre de l'Etat. Dans nos pays comme en Espagne, la réalité centrale était constituée par le système patrimonialiste. Dans ce système, le chef du gouvernement — qu'il soit prince ou vice-roi, caudillo ou président — gère l'Etat et la nation comme une extension de son patrimoine individuel, c'est-à-dire en les considérant comme son bien. Les oligarchies, composées de grands propriétaires terriens et de commerçants, avaient vécu à l'ombre du pouvoir central et manquaient aussi bien d'expérience politique que d'influence sur la population. Par contre, l'ascendant du clergé était énorme et, dans une moindre mesure, celui des avocats, des médecins et d'autres membres des professions libérales (source de la classe intellectuelle moderne). Sans plus attendre, ces groupes embrassèrent avec fureur les idéologies de l'époque ; les uns furent libéraux, les autres conservateurs. La seconde force, la plus décisive, était celle des militaires. Dans des pays sans expérience démocratique, avec de riches oligarchies et des gouvernements pauvres, la lutte entre factions politiques débouche fatalement sur la violence. Les libéraux ne furent pas moins violents que les conservateurs mais tout aussi fanatiques. La guerre civile endémique suscita le militarisme et celui-ci engendre les dictatures.

Durant plus d'un siècle, l'Amérique latine a oscillé entre le désordre et la tyrannie, entre la violence anarchique et le despotisme. On a voulu expliquer la persistance de ces maux par l'absence des classes sociales et des structures économiques qui permirent l'avènement de la démocratie en Europe et aux Etats-Unis. Certes, nous avons manqué d'une bourgeoisie vraiment moderne, la classe moyenne a été faible et peu nombreuse, le prolétariat est un phénomène récent. Mais la démocratie n'est pas seulement le résultat des conditions sociales et économiques inhérentes au capitalisme et à la révolution industrielle. Castoriadis a montré que la démocratie est une véritable *création* politique, un ensemble d'idées, d'institutions et de pratiques qui constituent une *invention* collective. La démocratie a été inventée deux fois, d'abord en Grèce, ensuite en Occident. Dans les deux cas, elle est née de la conjonction entre, d'une part, les théories et les idées de plusieurs générations et, d'autre part, les actions de divers groupes et classes, comme la bourgeoisie, le prolétariat et autres catégories sociales. La démocratie n'est pas une superstructure ; c'est une création populaire. En outre, c'est la condition même, le fondement de la civilisation moderne. C'est pourquoi, parmi les causes sociales et économiques que l'on cite généralement pour expliquer les échecs des démocraties latino-américaines, il convient d'ajouter cet autre élément auquel je me référais plus haut : l'absence d'un courant intellectuel critique et moderne. Enfin, il ne faut pas oublier les facteurs d'inertie et de passivité, cette énorme masse d'opinions, d'habitudes, de croyances, de routines, de convictions, d'idées reçues et de coutumes qui composent la tradition des peuples. Voici déjà un siècle, le romancier Pérez Galdós, qui avait beaucoup médité sur ce thème, faisait dire à l'un de ses personnages, un libéral lucide, les mots suivants : « Dans l'ordre de la pensée, nous assistons au triomphe instantané de l'idée vraie sur l'idée fausse ; dès lors, nous croyons que l'idée peut aussi rapidement l'emporter sur les coutumes. Mais les coutumes, c'est le temps qui les a créées, avec autant de patience et de lenteur qu'il a mis à faire les montagnes, et seul le temps, en travaillant jour après jour, peut les détruire. On n'abat pas les montagnes à coups de baïonnette[1]. »

Cette rapide description serait incomplète si je négligeais de mentionner un facteur étranger qui, à la fois, précipita la désintégration et fortifia les tyrannies : l'impérialisme nord-américain. Certes, la fragmentation de nos pays, les guerres civiles, le militarisme et les dictatures n'ont pas été inventés par les Etats-Unis. Mais leur responsabilité est primordiale, car ils ont profité de la situation pour s'enrichir, croître et dominer. Ils ont fomenté les divisions entre les pays, les partis et les dirigeants ; ils ont menacé de recourir à la force et n'ont pas hésité à le faire chaque fois qu'ils ont vu leurs intérêts en danger ; à leur convenance, ils ont soutenu les rébellions ou renforcé les tyrannies. Leur impérialisme n'a pas été idéologique et leurs interventions ont obéi à des considérations d'ordre économique et de suprématie politique. Pour toutes ces raisons, les Etats-Unis ont constitué un des plus grands obstacles auxquels nous nous sommes heurtés dans notre élan de modernisation. Voilà qui est tragique, car la démocratie nord-américaine inspira les pères de notre Indépendance et nos grands libéraux, comme Sarmiento et Juárez. Depuis le XVIIIe siècle, la modernisation s'est confondue, pour nous, avec la démocratie et les institutions libres ; l'archétype de cette modernité politique et sociale fut le régime démocratique des Etats-Unis. Némésis historique : en Amérique latine, les Etats-Unis ont été les protecteurs des tyrans et les alliés des ennemis de la démocratie.

Légitimité historique et athéologie totalitaire

Après avoir obtenu leur indépendance, les nations latino-américaines choisirent la république démocratique comme système de gouvernement. L'expérience

1. Benito Pérez Galdós, *La segunda casaca*, 1883.

impériale mexicaine fut de courte durée ; au Brésil, l'institution républicaine parvint aussi à se substituer à l'Empire. L'adoption de constitutions démocratiques dans tous les pays latino-américains et la fréquence avec laquelle ces mêmes pays subissent des régimes dictatoriaux, manifestent à suffisance qu'un des traits caractéristiques de nos sociétés est le divorce entre la réalité légale et la réalité politique. La démocratie est la légitimité historique ; la dictature est le régime d'exception. Le conflit entre la légitimité idéale et les tyrannies effectives est une expression supplémentaire — une des plus douloureuses — de l'insoumission de la réalité historique aux schémas et aux géométries que lui impose la philosophie politique. Les constitutions latino-américaines sont excellentes, mais elles ne furent pas pensées en fonction de nos pays. Dans un autre texte, je les ai appelées des « camisoles de force » ; il convient d'ajouter que, périodiquement, ces « camisoles » furent taillées en pièces par les soulèvements populaires. Les désordres et les explosions de violence ne furent rien d'autre que la vengeance des réalités latino-américaines ou, comme le disait Galdós, des *coutumes*, têtues et lourdes comme des montagnes, explosives comme des volcans. Les dictatures furent la réponse brutale aux vagues de violence. Remède funeste, car il entraîne fatalement de nouvelles déflagrations. L'impuissance des schémas intellectuels face aux réalités prouve une fois encore que nos réformateurs ne partagèrent ni l'imagination ni le réalisme des missionnaires du XVIe siècle. Impressionnés par la fervente religiosité des Indiens, les *padrecitos*[1] cherchèrent et trouvèrent, dans les mythologies précolombiennes, des points d'intersection avec le christianisme. C'est cela qui permit le passage des anciennes religions à la nouvelle. En s'indianisant, le christianisme s'enracina et

---

1. Littéralement, « petits pères » : diminutif populaire, à la fois déférent et familier. *(N.d.T.)*

assura sa fécondité. Voilà qui aurait dû inspirer nos réformateurs.

Les tentatives pour réconcilier la légitimité formelle et la réalité traditionnelle n'ont guère été nombreuses. Du reste, presque toutes ont échoué. La plus cohérente et lucide, celle de l'A.P.R.A. au Pérou[1], s'épuisa dans une longue lutte qui, si elle représente une contribution exemplaire à la défense de la démocratie, n'en finit pas moins par dilapider ses énergies révolutionnaires. D'autres tentatives furent de simples caricatures : le péronisme par exemple, qui voisina d'un côté avec le fascisme à l'italienne et, de l'autre, avec la démagogie populiste. L'expérience mexicaine, malgré toutes ces lacunes, a été la plus réussie, la plus originale et la plus profonde. Ce ne fut pas un programme ni une théorie, mais la réponse instinctive à l'absence de programme et de théorie. Comme toute véritable création politique, ce fut une œuvre collective destinée à résoudre les problèmes particuliers d'une société en ruines et comme vidée de son sang. Elle naquit de la Révolution mexicaine, ce mouvement qui avait balayé les institutions créées par les libéraux du XIXe siècle, bientôt masquées par la dictature de Porfirio Díaz. Ce régime, héritier du libéralisme de Juárez, était une sorte de version métisse — combinaison de caudillisme, de libéralisme et de positivisme — du despotisme éclairé du XVIIIe siècle. Comme toutes les dictatures, celle de Díaz fut impuissante à résoudre le problème de la succession, c'est-à-dire de la légitimité : durant la vieillesse du caudillo, le régime ankylosé tenta de se survivre à lui-même. La réponse du pays fut la violence. La rébellion politique se transforma presque instantanément en révolte sociale.

1. L'Alliance populaire révolutionnaire américaine, fondée en 1930 par Raoul Haya de la Torre, un des mouvements populistes les plus importants d'Amérique latine. *(N.d.T.)*

Ce n'est pas sans hésiter que les révolutionnaires victorieux repoussèrent la tentation qui assaille toutes les révolutions triomphantes et finit par les faire échouer : résoudre les querelles entre factions par la dictature d'un César révolutionnaire. Les Mexicains parvinrent à éviter cet écueil, sans verser dans l'anarchie ou dans la guerre intestine, grâce à un double compromis : d'une part, l'interdiction de réélire un président ferma la porte au caudillisme ; de l'autre, la constitution d'un parti groupant les syndicats ouvriers et les organisations des paysans et des classes moyennes, assura la continuité du régime. Ce parti n'est pas une formation idéologique et n'obéit pas à une orthodoxie ; il ne constitue pas davantage une « avant-garde » du peuple ou un groupe choisi de militants. C'est une organisation ouverte plutôt amorphe, dirigée par une bureaucratie politique issue des classes populaires et moyennes. Ainsi, depuis une soixantaine d'années, le Mexique a pu échapper à cette fatalité circulaire qui consiste à passer de l'anarchie à la dictature, et vice versa. Le résultat n'a été ni la démocratie ni le despotisme, mais un régime singulier, à la fois paternaliste et populaire, et qui peu à peu — non sans heurts, violences et rechutes — s'est orienté vers des formes toujours plus libres et démocratiques. Mais le processus a été trop lent et la fatigue du système se fait sentir depuis plusieurs années. Au lendemain de la crise de 1968, le régime a entrepris, avec réalisme et bon sens, une série de changements qui ont culminé dans l'actuelle réforme politique. Malheureusement, les partis indépendants et de l'opposition sont non seulement minoritaires, mais manquent de cadres et de programmes capables de remplacer le parti au pouvoir depuis des décennies. Le problème de la succession se pose donc comme en 1910 : s'il ne veut pas s'exposer à de graves dommages, le système mexicain devra se rénover à travers une transformation démocratique interne et, de la même façon, mener à bien la réforme politique qui garantisse, dans le futur immédiat, la rotation au pouvoir des différents partis et des personnes librement élues.

Je ne m'arrêterai pas davantage sur ce sujet. Je lui ai consacré plusieurs essais, dont « L'ogre philanthropique[1] », et je me permets d'y renvoyer mes lecteurs.

L'histoire de la démocratie latino-américaine n'est pas seulement l'histoire d'un échec. Longtemps, les démocraties de l'Uruguay, du Chili et de l'Argentine ont fait figure d'exemples. Toutes trois sont tombées, l'une après l'autre, remplacées par des gouvernements militaires. La démocratie colombienne, après une période de violence stérile, s'est récemment raffermie ; celle du Pérou, au lendemain d'un régime militaire, s'est renouvelée et fortifiée. Mais les exemples les plus réconfortants nous viennent du Venezuela et du Costa Rica : deux authentiques démocraties. Le cas de la petite république du Costa Rica, au cœur d'une Amérique centrale turbulente et autoritaire, est en vérité admirable[2]. Pour en terminer avec ce bref tour d'horizon, je dirai qu'il est significatif que la fréquence des coups d'Etat militaires n'ait jamais entamé la légitimité démocratique dans la conscience de nos peuples. Son autorité morale a été indiscutable. C'est pourquoi tous les dictateurs, sans exception, déclarent solennellement, dès la prise du pouvoir, que leur gouvernement est intérimaire et qu'ils sont disposés à restaurer les institutions démocratiques dès que les circonstances le permettront. Bien sûr, il est rare qu'ils accomplissent leur promesse ; mais ce qui me paraît révélateur et digne d'être souligné, c'est qu'ils

1. Voir *Rire et pénitence. Art et histoire*, Gallimard, 1963, p. 44-64. *(N.d.T.)*
2. Comme nous l'avions prévu dans « Perspective latino-américaine » (cf. *supra*, p. 138 et suiv.), nous avons été les témoins du retour à la démocratie au Brésil, en Argentine et en Uruguay. Il n'est pas téméraire de penser que nous assisterons également au rétablissement des institutions démocratiques au Chili.

se sentent obligés de prendre cet engagement. Il s'agit d'un phénomène capital, sur la signification duquel on s'est rarement interrogé : jusqu'à la seconde moitié du XXe siècle, personne n'a osé mettre en doute que la démocratie représentait la légitimité historique et constitutionnelle de l'Amérique latine. C'est avec elle que nous étions nés et, au-delà des crimes et des tyrannies, la démocratie apparaissait comme une sorte d'acte de baptême de nos peuples. Depuis vingt-cinq ans, la situation a changé, et ce changement nécessite un commentaire.

Le mouvement de Fidel Castro a enflammé l'imagination de nombreux Latino-Américains, surtout parmi les étudiants et les intellectuels. Castro apparut comme l'héritier des grandes traditions de nos peuples : l'indépendance et l'unité de l'Amérique latine, l'anti-impérialisme, un programme de réformes sociales radicales et nécessaires, la restauration de la démocratie. Ces illusions se sont évanouies l'une après l'autre. Le processus de dégénérescence de la Révolution cubaine a été raconté à maintes reprises, y compris par ceux qui avaient participé directement au mouvement, tel un Carlos Franqui. Je ne vais donc pas répéter ce qui est connu. Je note simplement que l'évolution malheureuse du régime de Castro a été la conséquence de la combinaison de nombreux éléments : la personnalité du chef révolutionnaire, type même du caudillo latino-américain dans la tradition hispano-arabe ; la structure totalitaire du parti communiste cubain, qui fut l'instrument politique de l'imposition du modèle soviétique à domination bureaucratique ; l'insensibilité et l'arrogance maladroite de Washington, spécialement pendant la première phase de la Révolution cubaine, avant qu'elle ne soit confisquée par la bureaucratie communiste ; enfin, comme dans les autres pays d'Amérique latine, la faiblesse de nos traditions démocratiques. Ce dernier point explique que le régime, alors qu'il révèle chaque jour davantage sa nature despotique et que l'on connaît bien les échecs de sa politique économique et sociale, conserve encore une partie de son ascendant initial sur quelques jeunes universitaires et intellectuels. D'autres s'accrochent à ces illusions par désespoir. Ce n'est pas rationnel, mais explicable : le mot *desdicha*, dans le sens moral d'infortune comme dans le sens matériel d'extrême pauvreté, semble avoir été inventé pour décrire la situation de la majorité de nos pays. De plus, beaucoup d'adversaires de Castro sont aussi acharnés à perpétuer cette terrible situation. Inimitiés symétriques.

Il n'est pas malaisé de comprendre pourquoi le régime de Castro jouit toujours de quelque crédit auprès de certains groupes. Mais expliquer ne signifie pas justifier, et moins encore disculper, surtout lorsqu'on trouve, parmi les « croyants », des écrivains, des intellectuels et de hauts fonctionnaires de gouvernements comme ceux de France et du Mexique. Toutes ces personnes ont volontairement choisi de ne pas voir ce qui se passe à Cuba et d'être sourdes aux plaintes des victimes d'une dictature inique. L'attitude de ces groupes et individus ne diffère guère de celle des staliniens trente ans plus tôt ; tout comme eux, certains auront honte, un jour, de ce qu'ils auront dit — et tu. En outre, l'échec du régime de Castro est manifeste et indéniable. Il est visible sous trois aspects essentiels. Au point de vue international, Cuba continue d'être un pays dépendant, cette fois de l'Union soviétique. Dans le domaine politique, les Cubains sont encore moins libres qu'auparavant. Enfin, dans la sphère économique et sociale, la population souffre d'une pénurie plus grande et de plus dures épreuves qu'il y a vingt-cinq ans. L'œuvre d'une révolution se mesure aux transformations qu'elle mène à bien ; parmi elles, le changement des structures économiques joue un rôle capital. Cuba était un pays qui se caractérisait par la monoculture du sucre, cause essentielle de sa dépendance vis-à-vis de l'extérieur et de sa vulnérabilité économique et politique. Or, à ce point de vue, rien n'a changé.

Pendant de nombreuses années, les intellectuels latino-américains et beaucoup d'Européens ont refusé d'écouter les Cubains exilés, dissidents et pourchassés. Mais il est impossible de cacher le soleil. Voici quelques années à peine, le monde fut stupéfié par la fuite de plus de cent mille Cubains, chiffre énorme si l'on songe à la population de l'île. La surprise fut plus grande encore quand nous avons vu les fugitifs sur les écrans de cinéma et de télévision. Ce n'étaient pas des bourgeois partisans de l'ancien régime, pas plus que des dissidents politiques, mais des gens modestes, des hommes et des femmes du peuple, désespérés et affamés. Les autorités cubaines déclarèrent que toutes ces personnes n'avaient pas de « problèmes politiques » et, dans une certaine mesure, c'était vrai : cette masse humaine n'était pas formée d'opposants, mais bien de *fugitifs*. La fuite des Cubains ne fut pas essentiellement distincte des évasions du Cambodge et du Viêt-nam et répond aux mêmes motifs. C'est là une des conséquences sociales et humaines de l'implantation des dictatures bureaucratiques qui ont usurpé le nom de socialisme. Les victimes des « dictatures du prolétariat » ne sont pas les bourgeois, mais les prolétaires. Comme une soudaine éclaircie, la fuite des cent mille a dissipé les mensonges et les illusions qui nous empêchaient de voir la réalité cubaine. Pour combien de temps ? Comme les Hyperboréens du mythe, nos contemporains aiment vivre dans le brouillard moral et intellectuel.

J'ai déjà signalé que les dictatures latino-américaines se définissent elles-mêmes comme des régimes intérimaires d'exception. Aucun de nos dictateurs, pas même les plus hardis, n'a nié la légitimité historique de la démocratie. Le premier régime qui ait osé proclamer une légitimité différente a été celui de Castro. Le fondement de son pouvoir n'est pas la volonté de la majorité exprimée par un suffrage libre et secret, mais une conception qui, malgré ses prétentions scientifiques, présente une certaine analogie avec le Mandat du Ciel dans la Chine ancienne. Cette conception, faite de bribes du marxisme (le vrai et tous les apocryphes), est le credo officiel de l'Union soviétique et des autres dictatures bureaucratiques. Son fondement est la formule archiconnue : le mouvement général et ascendant de l'histoire s'incarne dans une classe, le prolétariat, qui remet son pouvoir à un parti, lequel le délègue à un comité qui, à son tour, le confie à son chef. Castro gouverne au nom de l'histoire. A l'instar de la volonté divine, l'histoire est une instance supérieure imperméable aux opinions changeantes et contradictoires des masses. Il serait inutile de vouloir réfuter cette conception : ce n'est pas une doctrine, mais une croyance. Et une croyance incarnée dans un parti dont la nature est double : c'est une Eglise et une armée. La gêne que nous ressentons devant ce nouvel obscurantisme n'est pas essentiellement différente de celle qu'éprouvèrent nos ancêtres libéraux face aux ultramontains de 1800. Les anciens dogmatiques considéraient la monarchie comme une institution divine et le monarque comme un élu de Dieu ; ceux d'aujourd'hui voient dans le parti un instrument de l'histoire et dans ses chefs les interprètes de celle-ci. Nous assistons au retour de l'absolutisme, sous couvert de science, d'histoire et de dialectique.

La ressemblance entre le totalitarisme contemporain et l'ancien absolutisme recouvre, néanmoins, des différences profondes. Je ne peux, dans les limites de cet article, les explorer ni m'y arrêter. Je me contenterai de mentionner la différence essentielle : l'autorité du monarque absolu s'exerçait au nom d'une instance supérieure et surnaturelle, Dieu ; dans le totalitarisme, le chef exerce son pouvoir au nom de son identification avec le parti, le prolétariat et les lois qui régissent le développement historique. Le chef est l'histoire universelle en personne. Le Dieu transcendant des théologiens aux XVIᵉ et XVIIᵉ siècles descend sur terre et se mue en « processus historique » ; à son tour, le « processus historique » s'incarne dans tel ou tel leader : Staline, Mao, Fidel. Le totalitarisme confisque les formes religieuses et les vide de leur contenu avant de s'en revêtir. La démocratie moderne avait consommé la séparation entre la religion et la politique ; le totalitarisme les unit à nouveau, mais inversées ; le contenu de la politique du monarque absolu était religieux ; de nos jours, la politique est le contenu de la pseudo-religion totalitaire. Aux XVIᵉ et XVIIᵉ siècles, le pont qui unissait la religion et la politique était la théologie néo-thomiste ; au XXᵉ siècle, le pont qui conduit de la politique au totalitarisme est une idéologie faussement scientifique qui se présente comme une science universelle de l'histoire et de la société. Le thème est passionnant, mais je m'en tiendrai là : je dois maintenant revenir au cas particulier de l'Amérique latine[1]. Ce n'est pas seulement la prétention pseudo-scientifique de cette conception qui s'avère inquiétante, mais aussi son caractère antidémocratique. Les réalisations et la politique du régime de Castro sont la négation de la démocratie et des principes mêmes sur lesquels elle se fonde. Dans ce sens, la dictature bureaucratique cubaine constitue une véritable nouveauté historique sur notre continent : avec elle commence, non pas le socialisme, mais une « légitimité révolutionnaire » qui se propose de destituer la légitimité historique de la démocratie. Ainsi s'est rompue la tradition qui avait fondé l'Amérique latine.

1. Le lecteur intéressé pourra lire avec profit les réflexions pénétrantes et éclairantes de Claude Lefort dans *L'invention démocratique*, Paris, Fayard, 1981, p. 83.

Depuis le milieu du siècle dernier, l'hégémonie nord-américaine sur l'ensemble du continent a été continuelle et indiscutable. Souvent dénoncée par les Latino-Américains, la doctrine Monroe fut l'expression de cette réalité. Ici aussi, la Révolution cubaine apparaît comme une rupture radicale. Nouvelle manifestation de la Némésis : la politique dédaigneuse et hostile de Washington précipita Castro dans les bras de l'U.R.S.S. Comme un don tombé du ciel de l'histoire — où ne règne pas la dialectique, mais le hasard — les Soviétiques reçurent ce que Napoléon III, la reine Victoria et le Kaiser avaient toujours rêvé d'obtenir sans y réussir jamais : une base politique et militaire en Amérique. Du point de vue de l'histoire, la fin de la doctrine Monroe signifie un retour au commencement : comme au XVIe siècle, notre continent est ouvert à l'expansion des puissances extra-continentales. C'est pourquoi la fin de la présence nord-américaine à Cuba n'a pas représenté une victoire de l'anti-impérialisme. Le déclin (relatif) de la suprématie des Etats-Unis signifie, d'une façon claire et primordiale, que l'expansion impériale russe touche maintenant l'Amérique latine. Nous nous sommes convertis (on nous a convertis) en nouveau champ de bataille des grandes puissances. Ce ne sont pas nos actes, mais les accidents de l'histoire qui nous ont conduits à cette situation. Que pouvons-nous faire ? Que notre marge d'action soit faible ou considérable, nous devons tout d'abord essayer de réfléchir lucidement et dans un esprit indépendant ; ensuite et surtout, ne pas nous résigner à la passivité de l'objet.

Plus heureux que Napoléon III dans son aventure mexicaine, les Russes n'ont guère eu besoin d'envoyer des troupes à Cuba ni de livrer bataille. C'est là une situation diamétralement opposée à celle de l'Afghanistan. Le gouvernement de Castro a liquidé l'opposition, composée en grande partie d'anciens partisans, et a réduit au silence les mécontents. L'Union soviétique possède à Cuba des alliés sûrs, qui lui sont unis par les liens de l'intérêt, de l'idéologie et de la complicité. La coalition russo-cubaine est, à la fois, diplomatique, économique, militaire et politique. Dans toutes les chancelleries et sur les forums internationaux, la diplomatie cubaine soutient des points de vue identiques à ceux de l'Union soviétique ; en outre, elle sert et défend, avec habileté et diligence, les intérêts russes parmi les pays non alignés. L'U.R.S.S. et les pays de l'Est européen subventionnent l'économie cubaine défaillante, mais sans parvenir à l'équilibrer. Par contre, leur aide militaire est considérable et sans proportion avec les besoins réels de l'île. En vérité, les troupes cubaines sont un poste avancé des Soviétiques et ont participé aux opérations guerrières en Afrique et ailleurs. Il n'est pas réaliste — c'est le moins que l'on puisse dire — de fermer les yeux, comme l'ont fait certains gouvernements et notamment le mexicain, sur le caractère expressément militaire de l'alliance russo-cubaine.

L'importance de Cuba comme base politique est plus grande encore, s'il est toujours loisible, au point où nous en sommes, d'établir une distinction entre le militaire et le politique. La Havane a été et reste un centre d'agitation, de propagande, de coordination et d'entraînement des mouvements révolutionnaires d'Amérique latine. Pourtant, les révoltes et les troubles qui secouent notre continent, spécialement en Amérique centrale, ne sont pas le résultat d'une conspiration russo-cubaine ni des machinations du communisme international, comme s'évertuent à le répéter les porte-parole du gouvernement nord-américain. Ces mouvements, nous le savons tous, sont la conséquence des injustices sociales, de la pauvreté et de l'absence de libertés politiques dans beaucoup de pays latino-américains. Les Soviétiques n'ont pas inventé le mécontentement : ils l'utilisent et

210

tentent de le récupérer à leurs fins. Il faut bien reconnaître qu'ils y parviennent presque toujours. La politique
incohérente des Etats-Unis n'a pas été étrangère à cet
état de choses. Cela dit, je me demande pourquoi de
nombreux mouvements révolutionnaires, qui constituaient à l'origine des réponses généreuses à des conditions sociales injustes et intolérables, se transforment
ensuite en instruments de l'U.R.S.S. Pourquoi, en
triomphant, reproduisent-ils dans leur pays le modèle
totalitaire à domination bureaucratique ?

L'organisation et la discipline des partis communistes
impressionnent presque toujours l'apprenti révolutionnaire ; ce sont des corps qui combinent deux formes
d'association au caractère prosélyte et combatif, et dont
la cohésion interne est solidement éprouvée : l'armée et
l'ordre religieux. Dans l'une comme dans l'autre, l'idéologie soude les volontés et justifie la division du travail et
les strictes hiérarchies. Tous deux sont des écoles d'action et d'obéissance. Le parti, en outre, est la personnification collective de l'idéologie. La primauté du politique
sur l'économique est un des traits qui distinguent l'impérialisme russe des impérialismes capitalistes occidentaux. En U.R.S.S., le facteur politique n'est pas seulement compris comme une stratégie et une tactique, mais
comme une dimension de l'idéologie. Alain Besançon
qualifie l'Union soviétique d'*idéocratie* et sa dénomination est exacte : dans ce pays, l'idéologie remplit une
fonction semblable à celle de la théologie à la cour de
Philippe II, mais à un niveau intellectuel beaucoup plus
bas. C'est là une des caractéristiques prémodernes de
l'Etat russe et qui confirme sa nature hybride, mélange
surprenant d'archaïsme et de modernité. En même
temps, la prééminence de l'idéologie explique la séduction que le système communiste exerce encore sur des
esprits simples et des intellectuels originaires de pays où
les idées libérales et démocratiques ont pénétré tard et
mal. Les classes populaires d'Amérique latine, paysans

et ouvriers traditionnellement catholiques, se sont montrées insensibles à la fascination du nouvel absolutisme totalitaire ; par contre, les intellectuels, ainsi que la petite et la haute bourgeoisie, ayant perdu leur ancienne foi, ont embrassé ce succédané idéologique consacré par la « science ». La grande majorité des dirigeants révolutionnaires d'Amérique latine appartiennent aux classes moyennes et élevées, c'est-à-dire aux groupes sociaux où l'idéologie prolifère.

La politique idéologique fait bon ménage avec un certain réalisme. L'histoire des fanatismes abonde en commandants sagaces et valeureux, en brillants stratèges et en diplomates avisés. Staline fut un monstre, pas un rêveur. Bien au contraire, car l'idéologie nous débarrasse de nombreux scrupules en introduisant dans les relations politiques, relatives par nature, un absolu au nom duquel tout est permis — ou presque. Dans le cas de l'idéologie communiste, l'absolu porte un nom : les lois du développement historique. La traduction de ces lois en termes philosophiques et moraux est « la libération de l'humanité », une tâche confiée, au nom de ces mêmes lois, au prolétariat industriel. Tout ce qui peut servir à cette fin, y compris les crimes, est donc moral. Mais qui définit la fin et les moyens ? Le prolétariat lui-même ? Non, son avant-garde, le parti et ses dirigeants. Voici déjà plus de quarante ans, dans sa réponse à Léon Trotsky, le philosophe John Dewey démontra le caractère fallacieux de ce raisonnement. Tout d'abord, l'existence de ces lois du développement historique est plus que douteuse, et il est encore moins sûr que les dirigeants communistes soient les plus aptes à les interpréter et à les exécuter. Ensuite, même si ces lois se caractérisent par la rigueur d'une loi physique, comment en déduire une morale ? La loi de l'attraction universelle n'est ni bonne ni mauvaise. Aucun théorème n'interdit de tuer ou ne prescrit la charité. Un critique ajoutait cette remarque : si Marx avait découvert que les lois du développement historique ne tendent pas à libérer les hommes, mais à les réduire en esclavage, serait-il moral de lutter pour l'asservissement de l'humanité entière[1] ? Le scientisme sert de masque au nouvel absolutisme.

Trotsky ne répondit jamais à Dewey, mais, après sa mort, on a vu augmenter le nombre des croyants dans ces lois qui accordent l'absolution morale à ceux qui œuvrent en leur nom. Il n'est pas difficile de découvrir les origines de cette morale : c'est une version laïque de la guerre sainte. Le nouvel absolu parvient à emporter l'adhésion de nombreuses consciences parce qu'il satisfait l'antique et perpétuelle soif de totalité dont souffrent tous les hommes. L'absolu et la totalité sont les deux faces de la même réalité psychique. Nous cherchons la totalité car c'est la réconciliation de notre être isolé, orphelin et errant, avec le grand tout, la fin de l'exil qui commence à la naissance. C'est une des racines de la religion et de l'amour, comme du rêve de fraternité et d'égalité. Nous avons besoin d'un absolu car lui seul peut nous donner la certitude de la vérité et de la bonté de la totalité que nous avons embrassée. Au début, les révolutionnaires sont unis par une fraternité dans laquelle la recherche du pouvoir et la lutte des intérêts et des personnes sont encore indissociables de la passion justicière. C'est une fraternité régie par un absolu, mais qui doit aussi, pour se réaliser en tant que totalité, s'affirmer face à l'extérieur. Ainsi apparaît l'*autre*, qui n'est pas simplement l'adversaire politique professant des opinions différentes des nôtres : l'*autre* est l'ennemi de l'absolu, l'ennemi absolu. Il faut l'exterminer. Rêve héroïque, terrible... et dont on se réveille horrifié : l'*autre* est notre double.

1. Baruch Knei-Paz, *The Social and Political Thought of Leon Trotsky*, Oxford University Press, 1978.

Au début de l'année 1980, j'ai publié dans divers journaux d'Amérique et d'Espagne une série de commentaires politiques sur la décennie qui venait de s'achever : *Tiempo nublado* (1970-1979)[1]. Dans le dernier de ces articles (paru au Mexique en janvier 1980), j'écrivais ceci : « La chute de Somoza a soulevé une question à laquelle personne n'ose encore répondre : le nouveau régime va-t-il s'orienter vers une démocratie sociale, ou tenter d'implanter une dictature comme celle de Cuba ? Cette seconde voie marquerait le commencement d'une série de terribles conflits en Amérique centrale et qui s'étendraient sans doute au Mexique, au Venezuela, à la Colombie. [...] Ces conflits n'auraient pas uniquement un caractère national et les frontières des pays ne pourraient les contenir. Etant donné les forces et les idéologies qui s'affrontent aujourd'hui, les luttes latino-américaines ont une dimension internationale. En outre, comme les épidémies, ce sont des phénomènes contagieux et que nul cordon sanitaire ne pourra endiguer. La réalité sociale et historique de l'Amérique centrale ne correspond pas à la division artificielle en six pays... Il serait illusoire de penser que ces conflits peuvent être isolés : ils font déjà partie des grandes luttes idéologiques, politiques et militaires de notre siècle. »

La réalité vint confirmer mes craintes. Le renversement de Somoza, salué avec enthousiasme par les démocrates et les socialistes d'Amérique latine, fut le résultat d'un mouvement auquel participa tout le peuple du Nicaragua. Comme d'habitude, un groupe de dirigeants qui s'étaient distingués dans la lutte prit la tête du régime révolutionnaire. On applaudit à certaines mesures du nouveau gouvernement destinées à établir un ordre social plus juste dans un pays saccagé depuis plus

---

1. Traduit ici par *Une planète et quatre ou cinq mondes.*

d'un siècle aussi bien par certains de ses citoyens que par des étrangers. La décision de ne pas appliquer la peine de mort aux anciens partisans de Somoza fut également reçue comme un élément positif. Par contre, ce fut une déception d'apprendre qu'on avait différé les élections jusqu'en 1985 : un peuple sans élections libres est un peuple sans voix, sans yeux et sans bras[1]. Au cours des deux dernières années, l'embrigadement de la société, les attaques dirigées contre le seul journal libre, le contrôle chaque jour plus strict de l'opinion publique, le militarisme, l'espionnage généralisé sous prétexte de mesures de sécurité, le langage et les agissements toujours plus autoritaires des dirigeants ont constitué autant de signes qui rappellent le processus suivi par d'autres révolutions qui se sont achevées dans la pétrification totalitaire.

Le gouvernement mexicain a manifesté son amitié à celui de Managua et lui a prêté son appui économique, moral et politique. Pourtant, ce n'est un mystère pour personne que les regards des dirigeants sandinistes ne sont pas tournés vers Mexico, mais vers La Havane. Leurs inclinations procubaines et prosoviétiques sont manifestes. En matière internationale, un des premiers actes du gouvernement révolutionnaire fut de voter, à la Conférence des pays non alignés (La Havane, 1979), pour la reconnaissance du régime imposé au Cambodge par les troupes du Viêt-nam. Depuis lors, le bloc soviétique compte une voix de plus sur les forums internationaux. Je sais bien qu'il n'est facile pour aucun Nicaraguayen d'oublier la funeste intervention des États-Unis,

1. Managua a décidé d'organiser des élections anticipées, un peu avant celles des Etats-Unis, dans l'intention, sans doute, de mettre Washington (et l'opinion publique internationale) devant le fait accompli : le gouvernement des commandants repose sur une légitimité démocratique. Mais ces élections, auxquelles le parti majoritaire de l'opposition a refusé de participer, ont jeté plus d'ombres que de lumières sur les prétentions démocratiques du régime.

depuis plus d'un siècle, dans les affaires intérieures de leur pays ; pas plus que leur complicité avec la dynastie des Somoza. Mais ces préjudices passés, qui justifient l'anti-américanisme, peuvent-ils justifier le prosoviétisme ? Le gouvernement de Managua aurait pu profiter de l'amitié du Mexique, de la France et de la République fédérale d'Allemagne, tout comme de la sympathie des dirigeants de la IIe Internationale, pour explorer une voie d'action indépendante qui, sans livrer le pays aux mains de Washington, ne l'aurait pas transformé non plus en tête de pont de l'Union soviétique. Il ne l'a pas fait. Les Mexicains doivent-ils continuer d'offrir leur amitié à un régime qui leur préfère d'autres partenaires ?

Dans le numéro d'*Esprit* de décembre 1981, Gabriel Zaïd publia un article qui est non seulement une analyse éclairante de la situation au Salvador, mais le meilleur reportage que j'ai lu sur ce pays. Ce texte confirme que la logique de la terreur est celle des miroirs : l'image que le terroriste se fait de l'assassin n'est pas celle de son adversaire, mais la sienne propre. Cette vérité psychologique et morale est également politique : le terrorisme des militaires et de l'extrême droite se dédouble dans le terrorisme de la guérilla. Mais ni le gouvernement ni les rebelles ne sont des blocs homogènes : ils sont divisés en nombreux groupes et tendances. C'est pourquoi Zaïd insinue qu'une solution possible — qui ne serait pas celle de l'extermination d'un des deux partis en présence — consisterait à trouver, dans les deux camps, des groupes décidés à remplacer les armes par le dialogue. Ce n'est pas impossible, en effet : l'immense majorité des habitants du Salvador, sans distinction d'idéologie, sont opposés à la violence — d'où qu'elle vienne — et aspirent à un retour aux voies pacifiques et démocratiques. Les élections du 28 mars 1982 ont corroboré l'opinion de Gabriel Zaïd : malgré la violence déchaînée par la guérilla, le peuple descendit dans la rue et attendit pendant des heures, exposé aux tirs et aux bombes, de pouvoir déposer son bulletin. Ce fut un exemple admirable, et l'indifférence de nombreux observateurs devant cet héroïsme pacifique est un signe supplémentaire de la vilenie des temps que nous vivons. La signification de cette élection est indubitable : la grande majorité des Salvadoriens inclinent à la légalité démocratique. Les suffrages exprimés ont favorisé le parti social-chrétien de Duarte, mais une coalition des partis de droite et d'extrême droite pourrait escamoter la victoire. Cette situation aurait pu être évitée si les guérilleros avaient accepté la confrontation démocratique ; d'après le correspondant du *New York Times* au Salvador, ils auraient obtenu entre quinze et vingt-cinq pour cent des voix. Tragique abstention. Si la droite assume le pouvoir, le conflit se poursuivra et causera un mal irréparable ; que la droite ou les guérillas l'emportent, ce sera, de toute façon, la déroute de la démocratie[1].

Toute l'histoire de nos pays est inscrite dans la situation de l'Amérique centrale. C'est comme une clef : la déchiffrer, c'est nous contempler, lire le récit de nos infortunes. La première, aux conséquences fatales, fut celle de l'indépendance : en nous libérant, elle nous divisa. La fragmentation multiplia les dictatures, et les luttes entres les tyrans facilitèrent l'intrusion des Etats-Unis. Ainsi, la crise de l'Amérique centrale a deux visages. D'une part, la fragmentation produisit la dispersion, la dispersion engendra la faiblesse et la faiblesse culmine aujourd'hui dans une crise d'indépendance : l'Amérique centrale est un champ de bataille des puissances mondiales. D'autre part, la déroute de la démocratie signifie le maintien de l'injustice et de la misère physique et

---

1. Deux ans plus tard, on a célébré de nouvelles élections et, cette fois, les vainqueurs ont été Duarte et son parti. Le gouvernement du Salvador a ouvert des négociations avec la guérilla, afin de parvenir à un accord pacifique. Le cas du Salvador est exemplaire : si le régime du Nicaragua souhaitait vraiment la paix, il entrerait aussi en pourparlers avec ses opposants.

morale, quel que soit le vainqueur, le colonel ou le commissaire du peuple. La démocratie et l'indépendance sont des réalités complémentaires et inséparables : perdre la première, c'est perdre la seconde, et inversement. Il faut aider l'Amérique centrale à gagner cette double bataille : celle de la démocratie et celle de l'indépendance. Peut-être n'est-il pas inopportun de reproduire la conclusion de l'article que je citais déjà plus haut : « La politique internationale du Mexique est traditionnellement fondée sur le principe de non-intervention. [...] Ce fut et reste un bouclier juridique, une arme légale. Elle nous a défendus et permis de défendre d'autres peuples. Aujourd'hui pourtant, cette politique ne suffit plus. Il serait incompréhensible que notre gouvernement ferme les yeux devant la nouvelle configuration des forces sur le continent américain. Face à des situations comme celles qui pourraient survenir en Amérique centrale, il ne suffit pas d'énoncer des doctrines abstraites d'ordre négatif : nous avons des principes et des intérêts à défendre dans cette région. Il n'est pas question d'abandonner le principe de non-intervention, mais de lui donner un contenu positif : nous voulons des régimes démocratiques et pacifiques sur notre continent. Nous voulons des amis, pas des agents armés d'un pouvoir impérial. »

On dit souvent que les problèmes de l'Amérique latine sont ceux d'un continent sous-développé. Ce terme est équivoque : plus qu'une description, c'est un jugement. Il dit, mais n'explique rien. Et il dit peu de choses : sous-développement en quoi, pourquoi et par rapport à quel modèle ou paradigme ? C'est un concept technocratique qui dédaigne les véritables valeurs d'une civilisation, la physionomie et l'âme de chaque société. C'est un concept ethnocentriste. Cela ne veut pas dire que je veuille sous-estimer les problèmes de nos pays : la dépendance économique, politique et intellectuelle vis-à-vis de l'extérieur ; l'injustice des inégalités sociales, la pauvreté extrême voisinant avec la richesse et le gaspillage, l'absence de libertés publiques, la répression, le militarisme, l'instabilité des institutions, le désordre, la démagogie, les mythomanies, l'éloquence creuse, le mensonge et ses masques, la corruption, l'archaïsme des attitudes morales, le machisme, le retard dans les sciences et les technologies, l'intolérance en matière d'opinions, de croyances et de coutumes. Les problèmes sont réels ; et les remèdes ? Le plus radical, après vingt-cinq ans d'application, a donné les résultats suivants : les Cubains sont aujourd'hui aussi pauvres ou davantage qu'auparavant, et ils sont beaucoup moins libres ; l'inégalité n'a pas disparu : les hiérarchies sont différentes, mais encore plus rigides et intraitables ; la répression est comme la chaleur : continue, intense et générale ; l'île continue à dépendre, économiquement, du sucre et, politiquement, de l'Union soviétique. La Révolution cubaine s'est pétrifiée : c'est une chape de plomb suspendue sur le peuple. A l'autre extrême, les dictatures militaires ont perpétué une situation injuste et désastreuse, aboli les libertés publiques, pratiqué une cruelle politique de répression ; non seulement elles n'ont pas réussi à résoudre les problèmes économiques, mais, dans de nombreux cas, elles ont exacerbé les problèmes sociaux. Plus grave encore : elles ont été et demeurent incapables de résoudre le problème politique central de nos sociétés : celui de la succession, c'est-à-dire de la légitimité des gouvernements. Ainsi, loin de la supprimer, cultivent-elles l'instabilité.

La démocratie est arrivée tard en Amérique latine et a été systématiquement défigurée ou trahie. Elle s'est montrée faible, indécise, rebelle, tournée contre elle-même, souvent flatteuse envers le démagogue, corrompue par l'argent, rongée par le favoritisme et le népotisme. Pourtant, presque tout ce qui s'est fait de bon en Amérique latine, depuis un siècle et demi, s'est fait sous le régime de la démocratie ou, comme au Mexique, *vers* la démocratie. Nous sommes loin du compte. Nos pays ont besoin de changements et de réformes, à la fois radicaux et en accord avec la tradition et le génie de chaque peuple. Là où on a tenté de changer les structures économiques et sociales en démantelant, parallèlement, les institutions démocratiques, on a fortifié l'injustice, l'oppression et l'inégalité. La cause des ouvriers requiert, avant tout, la liberté d'association et le droit de grève : c'est la première chose que leur enlèvent leurs « libérateurs ». Sans démocratie, les changements entraînent des effets contraires aux objectifs ; ou plutôt : ce ne sont pas des changements. Sur ce point, l'intransigeance est de rigueur et il faut le répéter : les changements sont indissociables de la démocratie. La défendre, c'est défendre la possibilité du changement ; à leur tour, seuls les changements pourront renforcer la démocratie et lui permettre, enfin, de s'incarner dans la vie sociale. C'est une tâche double et immense. Pas seulement pour les Latino-Américains : c'est l'affaire de tout un chacun. La lutte est mondiale. En outre, son issue est incertaine, aléatoire. Peu importe : il faut livrer ce combat.

Mexico, janvier 1982.

CHAPITRE III

Les contaminations de la contingence

Hygiène verbale

Avec une certaine régularité, les langues contractent des épidémies qui infectent pendant des années le vocabulaire, la prosodie, la syntaxe, voire la logique. Parfois, la maladie se transmet à toute la société ; d'autres fois, elle n'atteint que des groupes isolés. Lors des cinquante dernières années, le langage philosophique et critique a souffert de trois infections : celle de la phénoménologie et de l'existentialisme, celle des sectes marxistes et celle du structuralisme. La première a disparu quasi entièrement, non sans laisser de nombreux estropiés. Les deux autres, bien qu'elles aient déjà dépassé le stade de l'acné, comme disent les médecins, se sont enkystées dans des régions lacustres et lointaines de la périphérie, comme les universités d'Amérique latine. On connaît bien les remèdes à ces maux : le rire, le sens commun et, finalement, l'hygiène mentale. C'est la méthode appliquée par Antonio Alatorre, avec intelligence et grâce, dans un essai publié par la *Revista de la Universidad de México* (décembre 1981) : « Critique littéraire traditionnelle et critique néo-académique ». Que reproche Alatorre à la critique néo-académique ? Exactement ce que Roland Barthes reprochait à ses disciples et zélateurs : d'escamoter le plaisir du texte. La préoccupation du critique, nous rappelle Alatorre, est « le flux et le reflux qu'il y a entre le plaisir littéraire et l'expérience litté-raire ». Dans un livre récent (*En lisant, en écrivant*, Corti, 1981), Julien Gracq fait une remarque semblable, mais avec plus de désinvolture : « Ce que je souhaite d'un critique littéraire [...] c'est qu'il me dise à propos d'un livre d'où vient que la lecture m'en dispense un plaisir qui ne se prête à aucune substitution... Un livre qui m'a séduit est comme une femme qui me fait tomber sous le charme : au diable ses ancêtres, son lieu de naissance, son milieu, ses relations, son éducation, ses amies d'en-fance !... Quelle bouffonnerie, au fond, et quelle impos-ture que le métier de critique : un expert en *objets aimés* ! Car après tout, si la littérature n'est pas pour le lecteur un répertoire de femmes fatales, et de créatures de perdition, elle ne vaut pas qu'on s'en occupe. » L'idée que se font Gracq et Alatorre de la littérature éclaire l'expression *plaisir littéraire* avec des lumières équi-voques, à la fois sombres et vivaces : le goût est devenu passion. C'est une idée qui en finit d'un seul coup avec la prétention de bâtir une « science de la littérature ». Ses fondations seraient les sables mouvants du désir.

J'avoue que ma réprobation va plus loin que celles de Gracq et d'Alatorre. Il me semble que les défauts de la critique moderne ne sont pas seulement d'ordre litté-raire, mais aussi intellectuels et moraux. Pour juger une œuvre, le critique littéraire contemporain s'appuie sur ce qu'on appelle les sciences sociales et humaines ; à partir de leurs grilles d'interprétation, il distribue ses jugements, persuadé qu'il en *sait* davantage sur l'œu-vre que l'auteur lui-même. Par la sociologie, il accède à l'omniscience ; la psychanalyse et la linguistique font de chaque professeur un Aristote métissé de Merlin. Gracq se scandalise de voir les critiques considérer le poète et le romancier tout juste comme « un produit, une sécrétion du langage ». Il a raison, mais il est bien plus grave encore de condamner un artiste ou un pen-seur parce qu'il ne croit pas ou ne pense pas comme nous. L'infection littéraire est moins virulente et nocive que l'infection idéologique. La première consiste dans une inversion de la perspective traditionnelle : elle ne voit pas l'auteur comme le créateur d'un langage, mais le langage comme créateur d'auteurs ; la seconde juge les auteurs non pas sur base de ce qu'ils disent, mais en élucubrant sur les conséquences de leur dire : est-ce favorable ou contraire aux intérêts de mon parti ?

Au Mexique, nous avons connu voici peu un exemple de la profondeur et de l'étendue de l'infection idéologique. Dans la revue *Vuelta* (n° 56, juillet 1981), Gabriel Zaïd a publié un article où il proposait à ses lecteurs une interprétation de la guerre de guérillas qui ensanglante le Salvador depuis de nombreuses années. Comme son titre même l'indique (« Collègues ennemis : une lecture de la tragédie salvadorienne »), l'essai nous montre, à grand renfort de preuves et de documents, l'étrange et sanglante symétrie qui caractérise les actes des factions qui se disputent le pouvoir dans ce petit pays d'Amérique centrale. Bien entendu, l'interprétation de Zaïd a provoqué l'indignation de toutes les âmes vertueuses qui voient dans le conflit de l'Amérique centrale un nouvel épisode du combat cyclique entre le bien et le mal. La discussion provoquée par Zaïd a été remarquable, tant par le nombre de ses contradicteurs (plus de vingt) que par la quantité de revues et de journaux où ces réfutations ont trouvé place : presque toute la presse de Mexico. Multiplicité trompeuse : les voix étaient légion, mais elles disaient toutes la même chose. Les seules différences entre toutes ces critiques n'étaient pas dans la substance, mais dans la manière : certains exprimaient leurs arguments, non sans vivacité ; d'autres, comme à l'accoutumée, profitaient de l'occasion pour cracher les crapauds et vomir les vipères qu'ils portent en eux. La polémique s'est bientôt convertie en leçon de morale et elle a ouvert ainsi des perspectives plus vastes que celles de la pure et simple actualité. C'est pourquoi je me risque à lui consacrer un bref commentaire.

La logique des révolutions

Ma première observation est la suivante : que nous approuvions les interprétations de Zaïd ou qu'elles nous paraissent insuffisantes et erronées, il est indiscutable que les faits sur lesquels il se fonde sont sûrs et certains, comme ont bien dû finir par le reconnaître ses adversaires. C'est ce dernier point qui est grave. D'abord, ils ont tenté d'occulter les pratiques terroristes et criminelles de plusieurs groupes de guérilleros au Salvador ; ensuite, ils ont voulu les minimiser. Et quand déjà il n'était plus possible de cacher le soleil — fût-ce en maniant l'élastique de la dialectique, qui change de forme et de format suivant les nécessités de la discussion — ils ont accepté que les faits étaient indéniables, ce qui n'a pas empêché Adolfo Gilly, le plus intelligent d'entre eux, d'essayer de les expliquer en recourant à une fantasmagorique « logique de l'histoire ». Dans le cas des révolutions, cette « logique » se caractérise « par l'irruption violente des masses dans leur propre destin » ; elles interviennent directement dans la vie publique, au lieu des « spécialistes : monarques, ministres, parlementaires, journalistes » (Léon Trotsky, cité par Adolfo Gilly). Il est bon de confronter cette idée aux réalités.

Le coup d'œil le plus distrait sur l'histoire des révolutions modernes, du XVIIe siècle à nos jours (Angleterre, France, Mexique, Russie, Chine), montre que dans tous les cas, sans la moindre exception, on voit surgir des groupes doués d'une plus grande initiative et d'une plus forte capacité d'organisation que la majorité. De surcroît, ces groupes sont armés d'une doctrine. Ils ne tardent jamais à se séparer des foules. Au début, ils les écoutent et les suivent ; ensuite, ils en prennent la tête ;

224

plus tard, ils les représentent ; enfin, ils les supplantent. Dans toutes les révolutions, aussitôt l'ancien régime renversé, les factions entrent en lutte pour le pouvoir. Les luttes se font toujours dans le dos du peuple et, bien entendu, à ses dépens. Ce ne sont pas des luttes populaires, mais des batailles de comité. Les Jacobins ont liquidé par la force les Girondins, qui formaient la majorité de la Convention ; à son tour, la faction dirigée par Robespierre et Saint-Just a liquidé, toujours *manu militari*, les factions qui, pour employer la terminologie conventionnelle, se trouvaient à sa droite et à sa gauche (Danton, Herbert). D'une façon générale, la prise du pouvoir par les bolcheviks suit un modèle identique ; une minorité qui prétend œuvrer, comme toutes les minorités, au nom de la majorité, finit par destituer la majorité : cadets, mencheviks, sociaux-révolutionnaires de gauche, anarchistes. A leur tour, les différentes factions bolcheviques, une fois au pouvoir, dans le dos ou sur le dos du peuple, se taillent en pièces jusqu'à ce que Staline extermine tous ses rivaux. C'est encore une suite d'événements semblables qui ont eu lieu au cours de la Révolution mexicaine : assassinats de Zapata, de Carranza et de Villa, jusqu'à la victoire d'Obregón. Et on pourrait en dire autant, compte tenu des inévitables différences locales, de ce qui s'est passé en Chine et ailleurs.

La fameuse logique des révolutions qui, selon Trotsky, se caractérise par l'intervention des masses dans l'histoire, n'apparaît nulle part dans tous ces épisodes. Si les révolutions ont une logique, il faut bien convenir qu'elle s'exerce dans une direction et dans un sens contraires à ceux décrits par Trotsky : au début, les masses — terme déplorable — sont les protagonistes des événements, mais elles sont bientôt mises à l'écart par des sectes de révolutionnaires professionnels, avec leurs comités, leurs césars et leurs secrétaires généraux. Dans tous les cas, le peuple a été écarté par des minorités d'extrémistes, qu'ils soient jacobins ou thermidoriens. Le cas du Salvador est encore moins conforme à la prétendue « logique des révolutions ». Dans les grandes révolutions — comme la française, la mexicaine ou la russe — le peuple intervient dans la première phase et c'est lui qui consomme la défaite de l'ancien régime (monarchie, porfirisme[1], tsarisme) ; dans un second moment, les factions révolutionnaires se disputent le pouvoir jusqu'à s'anéantir mutuellement. Mais au Salvador, avant la prise du pouvoir, le peuple a manifesté une égale répugnance vis-à-vis des extrémistes de droite et des extrémistes guérilleros. Depuis de nombreuses années, le peuple est coincé entre deux minorités armées et féroces.

Les intellectuels qui se disent eux-mêmes de gauche — une appellation qui a cessé d'être contrôlée — sont insensibles à ces arguments. Et quand un fait vient démentir leurs schémas simplistes, ils hochent la tête, sourient et accusent d'« empirisme » leurs opposants, aveugles, disent-ils, « devant la complexité du tissu social et incapables de penser les phénomènes sociaux comme des globalités ». Verbosité et suffisance. C'est comme si un tisserand, par amour pour la géométrie de son dessin, s'entêtait à ne pas voir les trous dans le tissu. Les théories servent à expliquer les faits, non à les escamoter. Pas plus qu'à les transformer en entéléchies historiques. Quand les faits démentent une théorie, il faut l'écarter ou la modifier. C'est ce que n'ont pas fait ces intellectuels.

Penser qu'il existe une logique des révolutions présuppose l'existence d'une logique générale de l'histoire. Cette logique existe-t-elle ? L'histoire a-t-elle un sens ? C'est plus que douteux. Dans *La philosophie critique de l'histoire*, Raymond Aron disait : « La philosophie moderne de l'histoire commence par le rejet de l'hégélia-

1. Mot forgé sur le prénom du dictateur Porfirio Díaz. *(N.d.T.)*

nisme. L'idéal n'est plus de déterminer une fois pour toutes la signification du devenir... La *Critique de la raison pure* a mis fin à l'espoir d'accéder à la vérité du monde nouménal ; de la même façon, la philosophie critique de l'histoire a renoncé à expliciter le sens ultime de l'évolution humaine. L'analyse de la connaissance historique est à la philosophie de l'histoire ce que la critique kantienne est à la métaphysique dogmatique. » Il est tout aussi extravagant de prétendre que « le pragmatisme exclut les masses de la politique car il évacue la lutte des classes de l'histoire ». D'abord, pragmatiste ou non, ce n'est pas la critique de Zaïd qui exclut les masses : ce sont les élites qui les écartent, qu'elles soient révolutionnaires ou réactionnaires, et par la force des armes alors qu'elles prétendent œuvrer en leur nom. Ensuite, l'histoire est une lutte des classes, certes, mais aussi beaucoup d'autres choses non moins décisives : la technique et ses mutations, les idéologies, les croyances, les individus, les groupes — et le hasard.

Tout aussi discutable est l'idée de la révolution que se font beaucoup d'intellectuels latino-américains. En réalité, il existe autant de visions de la révolution que d'historiens. Pour les marxistes, la Révolution française a signifié la prise du pouvoir politique par la bourgeoisie ; pourtant, Tocqueville a démontré d'une façon convaincante que, à la fin de l'Ancien Régime, la bourgeoisie avait déjà écarté la noblesse des postes clefs, non seulement dans le domaine économique, mais au sein de l'Etat. Aux yeux de Tocqueville, nous dit Furet, « la Révolution française, loin d'être une rupture brutale, achève et perfectionne l'œuvre de la Monarchie. La Révolution française ne peut être comprise que dans et pour la continuité historique[1] ». Le paradoxe veut que la Révolution « réalise cette continuité dans les faits alors qu'elle apparaît comme une rupture dans les conscien-

1. François Furet : *Penser la Révolution française*, Paris, 1978.

ces ». Je donne un autre exemple : dans l'un de ses aspects fondamentaux, celui de la fonction de l'Etat dans le processus de modernisation, la Révolution mexicaine a continué l'œuvre du porfirisme. Tout ceci, naturellement, ne revient pas à nier l'originalité de la Révolution française face à l'Ancien Régime ni celle de la Révolution mexicaine face à la dictature de Porfirio Díaz. Ces exemples montrent simplement la complexité des phénomènes historiques ainsi que leur résistance aux explications sommaires du type de la « logique » simpliste de l'histoire. Ceci ne signifie pas non plus que l'histoire soit un processus incompréhensible et insensé, mais que la compréhension historique doit toujours tenir compte de la singularité de chaque phénomène.

Par leur complexité même et par le nombre de facteurs, de circonstances et de personnes qui interviennent dans chacun d'entre eux, les faits historiques requièrent toujours des explications plurielles. Il n'y a jamais une seule explication pour un fait historique, pas même pour le plus simple. Le principe de causalité, considéré aujourd'hui avec réserve — y compris en physique et dans les sciences naturelles —, a toujours été difficilement applicable au domaine de l'histoire. La raison en saute aux yeux : il est pratiquement impossible de déterminer toutes les causes qui interviennent dans chaque fait. Il y a, bien sûr, une hiérarchie des causes : certaines sont plus importantes que d'autres. Mais les hiérarchies changent sans cesse : parfois, c'est le facteur personnel qui est déterminant ; d'autres fois, ce sont les circonstances économiques ou idéologiques, quand ce n'est pas, ainsi qu'on le voit fréquemment, l'apparition du facteur imprévu par excellence : l'accident. En outre, le point de vue de l'historien est toujours et fatalement personnel. Y a-t-il des lois historiques ? On ne saurait répondre avec certitude ; tout ce que nous pouvons dire, c'est que, si elles existent, on ne les a pas trouvées. On peut aller un peu plus loin : à supposer que nous puissions déterminer tous les facteurs, il serait quasi impossible — et vain — de tenter de les réduire à une loi. Je ne veux pas dire que l'histoire doive rester une éternelle *terra incognita* : sa complexité résiste au formalisme des sciences de la nature, mais non à la *compréhension*. Ce mot signifie : embrasser, ceindre, saisir, pénétrer — non réduire. Furet donne un exemple de ce que nous devons entendre par compréhension : au cours de la Révolution française, il y a eu diverses « révolutions » et, parmi elles, une révolution paysanne, presque totalement autonome et indépendante des autres (celles des aristocrates, des bourgeois et des « sans-culottes »). Contrairement aux autres, la révolution paysanne fut anticapitaliste. Et Furet d'ajouter : « Voilà qui se peut difficilement concilier avec la vision d'une révolution homogène, ouvrant au capitalisme et à la bourgeoisie un chemin qu'avait fermé l'Ancien Régime. » On peut en dire autant de la Révolution mexicaine : la révolution de Zapata n'était pas celle de Madero, pas plus que celle de Carranza ou d'Obregón et Calles ; ce n'était pas une révolution « progressiste » ou visant au « développement ». Bien plus : alors que la révolution d'Obregón et Calles poursuit l'œuvre de modernisation de Porfirio Díaz, celle de Zapata en est la négation.

Le Décalogue et l'Histoire

Pour renforcer leurs arguments, divers opposants à l'article de Zaïd ont eu recours à l'exemple de la guerre d'Espagne : selon eux, la cause républicaine n'a pas été ternie par les abus ou les crimes commis dans la zone dominée par la République. Mais la question morale et politique qui nous est posée par les agissements de telle ou telle faction ne peut se réduire au simplisme que Zaïd a si justement ridiculisé : si je défends la bonne cause, tous les moyens sont bons pour la faire triompher, même les crimes. Le problème des rapports entre la fin et les moyens est ancien et complexe. Il serait fat de ma part d'essayer de le résoudre dans le cadre d'un tel commentaire. Mais il ne l'est pas de signaler qu'il s'agit d'un thème qui concerne non seulement les acteurs et les victimes, mais aussi les témoins, autrement dit les intellectuels. Est-il légitime qu'un écrivain taise les crimes de son parti ? L'exemple de la guerre d'Espagne peut précisément nous aider à répondre à cette question.

Dans le livre consacré à la vie de Simone Weil par son amie et disciple Simone Pétrement, nous lisons ceci : « A cette époque (1938), on publia un livre de Georges Bernanos : *Les grands cimetières sous la lune*... Bernanos, qui vivait à Majorque, avait été le témoin de ce qui s'était passé dans la zone dominée par Franco. Ses tendances — d'écrivain catholique, monarchique et admirateur du réactionnaire Drumont — l'avaient porté à sympathiser avec le soulèvement des généraux espagnols contre le gouvernement républicain. Mais il avait été consterné par le régime de terreur instauré à Majorque par les fascistes, ainsi que par le grand nombre d'exécutions insensées... Le livre de Bernanos dénonçait cette folle ivresse de mort... Simone Weil s'est sentie obligée de lui écrire une lettre où elle racontait qu'elle avait vécu, dans le camp adverse, une expérience analogue. Dans sa lettre, Simone relatait quelques-uns des faits auxquels elle avait assisté et qui, même s'ils n'étaient pas aussi terribles et ignominieux que ceux rapportés par Bernanos, montraient qu'une atmosphère semblable régnait des deux côtés. » L'attitude de Bernanos le catholique et de Simone Weil la socialiste nous donne en partage une double leçon. En premier lieu, aussi élevés qu'ils soient, les buts de la cause que nous défendons ne peuvent être séparés des moyens que nous utilisons ; la fin n'est pas et ne peut pas être notre seul critère moral. En second lieu, s'il est vrai que dénoncer les atrocités commises par notre parti est difficile, très difficile, c'est pourtant le premier devoir d'un intellectuel.

Dans le dernier numéro de *Dissent* (hiver 1981), l'écrivain nord-américain Lionel Abel a publié un article intelligent sur ce problème des moyens et des fins, qu'il considère avec raison comme le thème central de notre siècle. Abel cite une opinion de Walter Benjamin. D'après le critique allemand, il y a deux façons de juger la violence, selon le point de vue du droit naturel et celui du droit positif : « La loi naturelle peut seulement juger chaque droit positif par la critique de ses fins, tandis que la loi positive peut seulement juger un nouveau droit en voie de s'établir par la critique de ses moyens. La justice est le critère des fins que l'on poursuit ; la conformité à la loi est le critère des moyens employés. Le droit naturel tâche de justifier les moyens par la justice des fins poursuivies ; la loi positive tente de garantir la justice des fins par la légitimité des moyens mis en œuvre. »

Le raisonnement de Benjamin est plus subtil que convaincant. Qu'arrive-t-il lorsque les moyens sont indignes des fins ? Abel commente en précisant qu'il existe une contradiction fréquente entre les moyens jugés légitimes par le droit naturel au vu de l'objectif poursuivi et la réprobation de ces moyens, considérés par le droit positif comme illégitimes à cause de leur violence ou d'autres circonstances. Benjamin ne ferme pas les yeux sur ces contradictions, mais il soutient que, dans certains cas, il faut trouver et adopter un troisième point de vue : un critère supérieur que seule la philosophie de l'histoire peut nous donner. En cette fin de siècle où nous vivons, il n'est pas difficile de faire la critique de l'opinion de Benjamin. Convertir la philosophie de l'histoire en oracle revient à remplacer le jugement moral intime de la conscience, fondement de l'éthique, par le jugement de l'autorité. C'est un jeu de mains qui aurait scandalisé aussi bien Socrate que Kant : est-il légitime de faire non pas ce que dit notre conscience, mais ce que nous dicte une instance supérieure, lointaine et impersonnelle ? On voit alors réapparaître la raison d'Etat, sous le masque non plus de la Providence divine, mais de la philosophie de l'histoire.

Une autre raison, non moins décisive, m'incite à rejeter l'idée de Benjamin : obéir au diktat de la philosophie de l'histoire est plus difficile encore que respecter le commandement de Dieu. Ou plutôt, c'est impossible : qui oserait soutenir aujourd'hui, dans les années quatre-vingt, qu'il connaît la voie et les desseins de l'histoire ? Qui peut juger et condamner un de ses semblables au nom d'un futur que nul n'a jamais vu et qui nous semble chaque jour plus incertain ? Les religions condensent leurs principes dans des codes formés de quelques préceptes catégoriques, clairs et absolus : tu ne tueras point, tu ne voleras point, tu ne convoiteras pas la femme de ton prochain, etc. Ces commandements ne dépendent d'aucune circonstance car ils sont fondés sur une parole éternelle, hors du temps. Par contre, ce que nous dit l'histoire — à supposer qu'elle *dise* quelque chose et ne soit pas seulement « bruit et fureur » — est temporel et, de ce fait, relatif, contingent et contradictoire. C'est une parole obscure, inintelligible. Mais si cette parole pouvait être comprise et interprétée, comment fonder sur elle une morale ? Sartre a tenté d'édifier une morale de la contingence et il a échoué. Il ne pouvait en être autrement : morale et contingence sont des termes incompatibles. Enfin, supposons même que l'histoire *dise*, que nous entendions son dire et que nous puissions fonder une morale sur ce terme relatif : malgré tout, ses préceptes seraient inapplicables. Tout simplement parce que l'histoire exécute ses sentences avant de les déclarer. C'est toujours un langage *a posteriori* : Marc Antoine ne savait pas qu'il serait mis en déroute à Actium, pas plus que Lénine ne pouvait être certain que le train blindé allemand le conduirait sain et sauf jusqu'à la gare de Finlande.

Dans un poème qui a pour thème la mort de Léon Trotsky *(Assassin)*, le poète anglais Charles Tomlinson a montré avec une pénétration extraordinaire dans quel piège mortel tombe fatalement le fanatique qui se croit en possession du secret de l'histoire. Ce poème est la meilleure réfutation que je connaisse de la supercherie qui consiste à voir dans l'histoire un substitut de la conscience. L'assassin, armé d'un piolet, est debout, derrière la victime qui révise des papiers. Il pense alors :

> *Je frappe. Je suis le futur et mon arme,*
> *en tombant, le transforme en* maintenant. *Si le coup*
> *   se figeait,*
> *Il resterait suspendu comme cette chambre*
> *à la crête de la vague de l'instant...*
> *Comme si la vague jamais ne pouvait tomber.*

Pour l'assassin, le temps s'immobilise en cet instant où le futur, en s'accomplissant, acquiert une sorte d'éternité vertigineuse. Ou, plus exactement : une éternité philosopique. L'instant est fait de la même substance que l'histoire, une substance qui transcende les trois temps — passé, présent, futur — car son véritable nom est *nécessité*. L'assassin s'identifie avec la nécessisté historique et se rend ainsi omniscient. Fausse éternité, omniscience dérisoire, dissipées au moment même où elles semblent se réaliser. Le poids de l'homme tombé, son terrible cri, le sang qui macule les papiers et l'oreiller, la bouche atroce de la blessure dans la tête, tout se conjugue pour que

> *le monde devienne instable sous mes pieds :*
> *je tombe dans la boue*
> *et les contaminations de la contingence :*
> *mains, regards, temps.*

Du temps illusoire de la philosophie de l'histoire, l'assassin idéologique tombe dans le temps réel, il tombe de la nécessité dans la contingence, du haut de sa certitude il se précipite dans le doute. Il tombe dans l'histoire... Dans ce monde où tout paraît relatif, n'y a-t-il pas de règles ? Il y en a peut-être une. Simone Weil la signale dans sa lettre à Bernanos. Le romancier français croyait que la peur était la cause des cruautés inutiles et stupides dont il avait été le témoin à Majorque. Simone ne partageait pas cette idée ; pour elle, bien plus puissant que la peur était le *permis de tuer* philosophique, ainsi que l'appelle Zaïd : « Quand les autorités temporelles ou spirituelles décident que la vie d'une certaine catégorie d'hommes manque en soi de valeur, les autres hommes les tuent avec franchise et impunité... Ainsi la fin poursuivie dans la lutte a-t-elle tôt fait de se perdre. Parce que cette fin ne peut se définir qu'en termes de bien commun et de la valeur de l'être des hommes — or, la vie des hommes a perdu sa valeur. » Le mal est la déshumanisation. L'abattoir et le camp de concentration sont des institutions toujours précédées d'une opération intellectuelle qui consiste à dépouiller l'autre de son humanité, pour pouvoir l'asservir ou l'exterminer comme un animal. Il s'agit d'une opération circulaire : nier l'humanité de l'autre revient à nier la nôtre.

Mexico, mars 1982.

ANNEXE

*Discours prononcé par Octavio Paz
à l'occasion de la réception
du Prix de la Paix
(Francfort, octobre 1984)*

La parole contre le bruit

Lorsque mon ami Siegfried Unseld m'a annoncé qu'on allait me décerner le Prix de la Paix, octroyé chaque année par l'Association des Editeurs et Libraires pendant la Foire du Livre de Francfort, j'ai d'abord ressenti une gratitude incrédule : pourquoi donc avoir pensé à moi ? Non pour le mérite incertain de mes écrits, mais, peut-être, pour mon amour obstiné de la littérature. Pour tous les écrivains de ma génération — je suis né en 1914, l'année fatidique — la guerre a été une présence terrible et permanente. J'ai commencé à écrire, opération silencieuse entre toutes, pour contrer le bruit des disputes et des batailles de notre siècle. J'ai écrit et je continue d'écrire parce que je conçois la littérature comme un dialogue avec le monde, avec le lecteur et moi-même — et ce dialogue est tout le contraire du bruit qui implique notre négation et du silence qui nous ignore. J'ai toujours pensé que le poète n'est pas seulement celui qui parle, mais celui qui écoute.

Mon incrédulité, mêlée d'un sentiment très vrai et très profond qu'il ne m'est pas facile d'exprimer — je craindrais qu'il ne semble exagéré —, s'est encore accrue, Monsieur le Président, quand j'ai entendu dans quels termes vous faisiez allusion à ma personne et à mes écrits. Je suis réellement ému ; vous avez été très généreux et tout ce que je peux vous dire, c'est que je tâcherai, du-

237

rant ce qui me reste de vie, d'être digne de vos paroles.

Le premier récit proprement historique de notre tradition religieuse est un épisode de la Bible : l'assassinat d'Abel par Caïn. C'est avec ce terrible événement que commence notre existence terrestre ; ce qui s'est passé dans le jardin d'Eden a eu lieu avant l'histoire. Avec la Chute sont nés les deux enfants du péché et de la mort : le travail et la guerre. Ce fut le début de la condamnation, le début de l'histoire. Dans les autres traditions religieuses, on trouve des récits qui ont pareille signification. La guerre, tout particulièrement, a toujours été envisagée avec horreur, même parmi les peuples qui la considèrent comme l'expression du conflit entre des pouvoirs surnaturels ou des principes cosmiques. Echapper à la guerre, c'est échapper à notre condition, aller au-delà de nous-mêmes ou, plutôt, revenir à ce que nous étions avant la Chute. C'est pourquoi la tradition nous présente une autre image, le revers radieux de cette noire vision de l'homme et de son destin : au sein de la nature réconciliée, sous un soleil bienveillant et des constellations compatissantes, les hommes et les femmes vivent dans l'oisiveté, la paix et la concorde. L'harmonie naturelle entre tous les êtres vivants — plantes, animaux, hommes — est l'image palpable de l'harmonie spirituelle. Le véritable nom de cette concorde cosmique est l'amour et sa manifestation la plus immédiate, l'innocence : les hommes et les femmes vivent nus. Ils n'ont rien à cacher, ils ne sont pas des ennemis et ne se craignent pas mutuellement : la concorde est la transparence universelle. La paix fut une dimension de l'innocence originelle, antérieure à l'histoire. La fin de l'histoire sera le commencement de la paix : le royaume de l'innocence retrouvée.

Beaucoup d'utopies philosophiques et politiques se sont inspirées de cette vision religieuse. Si, avant l'histoire, les hommes étaient égaux, libres et pacifiques, quand donc — et comment — a débuté le mal ? Bien qu'il soit impossible de le savoir, il ne l'est pas de supposer qu'un acte de violence a déchaîné ce mouvement aveugle que nous appelons histoire. Les hommes ont cessé d'être libres et égaux quand ils se sont soumis à un chef. Si le commencement de l'inégalité, de l'oppression et de la guerre a été le fruit de la domination de quelques-uns sur tous les autres, comment ne pas voir dans l'autorité l'origine et la cause des injustices de l'histoire ? Non pas dans l'autorité de tel ou tel prince — qu'il soit pieux ou tyrannique — mais dans le principe même et dans l'institution qui l'incarne : l'Etat. Seule son abolition pourrait en finir avec la servitude des hommes et avec la guerre entre les nations. La révolution serait ainsi la grande révolte de l'histoire ou, en termes religieux, le retour des temps originels : l'innocence du commencement, au sein duquel les libertés individuelles se résolvent en concorde sociale.

Le pouvoir de séduction de cette idée — la morale la plus pure alliée aux rêves les plus généreux — a été immense. Pourtant, deux raisons m'empêchent de partager la foi dans cette hypothèse optimiste. Tout d'abord, nous sommes devant une supposition non vérifiée et je crains qu'elle ne soit invérifiable. Ensuite, il est très probable que la naissance de l'Etat n'a pas signifié le commencement, mais bien la fin de la guerre perpétuelle qui affligeait les communautés primitives. Pour Marshall Sahlins, Pierre Clastres et d'autres anthropologues contemporains, les hommes, au commencement, vivaient libres et relativement égaux. Le fondement de cette liberté était la force de leurs bras et l'abondance des biens : la société des sauvages était une société de guerriers libres et qui se suffisaient à eux-mêmes. C'était aussi une société égalitaire : la nature périssable des biens interdisait leur accumulation. Dans ces communautés simples et isolées, les liens sociaux s'avéraient extrêmement fragiles et la réalité permanente était la discorde : la guerre de tous contre tous. Dès l'aube de l'Age Moderne, les théologiens néo-thomistes espagnols avaient soutenu que, à l'origine, les hommes étaient libres et égaux — *status naturae* —, mais que, comme ils manquaient d'organisation politique (d'un Etat), ils vivaient isolés, sans défenses et exposés à la violence, l'injustice et la dispersion. Le *status naturae* n'était pas synonyme d'innocence : tout comme nous, les hommes du commencement étaient *nature déchue*. Hobbes est allé plus loin quand il a vu dans l'état de nature non pas l'image de la concorde et de la liberté, mais celle de l'injustice et de la violence. L'Etat est né pour défendre l'homme de l'homme.

Si l'abolition de l'Etat devait entraîner notre retour à la discorde civile perpétuelle, comment éviter la guerre ? Depuis leur apparition sur la terre, les Etats combattent entre eux. Aussi n'est-il pas étrange que l'aspiration à la paix universelle se soit parfois confondue avec le rêve d'un Etat universel et sans rivaux. Ce remède n'est pas moins utopique que celui de la suppression de l'Etat — et peut-être est-il encore plus dangereux. La paix qui résulterait du fait d'imposer une même volonté à toutes les nations, y compris si cette volonté était celle de la loi impersonnelle, ne tarderait pas à dégénérer en uniformité et en répétition, masques de la stérilité. Alors que l'abolition de l'Etat nous condamnerait à la guerre perpétuelle entre les factions et les individus, l'instauration d'un Etat unique se traduirait par la servitude universelle et la mort de l'esprit. Par bonheur, l'expérience historique a chaque fois dissipé cette chimère. Il n'existe pas d'exemple d'une société historique sans Etat ; mais il existe, et en nombre impressionnant, de grands empires qui ont recherché la domination universelle. Le sort de tous les grands empires nous enseigne que ce rêve est non seulement chimérique, mais, surtout, funeste. Le début des empires est toujours pareil : conquête et spoliation ; leur fin l'est également : le démembrement, la désagrégation. Les empires sont condamnés à la dispersion comme les orthodoxies et les idéologies aux schismes et aux scissions.

La fonction de l'Etat est double et contradictoire : il préserve la paix et provoque la guerre. Cette ambiguïté est celle des êtres humains. Individus, groupes, classes, nations et gouvernements, nous sommes tous condamnés à la divergence, à la dispute et à la querelle ; mais nous sommes aussi condamnés au dialogue et à la négociation. Pourtant, il y a une différence entre la société civile composée d'individus et de groupes et la société internationale des Etats. Dans la première, les controverses se résolvent par la volonté mutuelle des parties en présence ou par l'autorité de la loi et du gouvernement ; dans la seconde, la seule chose qui compte vraiment est la volonté des gouvernements. La nature même de la société internationale interdit l'existence d'une autorité superétatique effective. Ni les Nations unies ni les autres organismes internationaux ne disposent de la force nécessaire pour préserver la paix ou châtier les agresseurs ; ce sont des assemblées délibératives, utiles aux négociations, mais qui présentent le défaut de se transformer facilement en tribune pour démagogues ou propagandistes.

Le pouvoir de faire la guerre ou la paix incombe essentiellement aux gouvernements. Certes, ce n'est pas un pouvoir absolu : avant de s'aventurer dans une guerre, même les tyrannies doivent tenir plus ou moins compte de l'opinion et du sentiment populaires. Dans les sociétés ouvertes et démocratiques, où les gouvernements doivent périodiquement expliquer leurs actes et où existe une opposition légale, il est plus difficile de mener à terme une politique belliqueuse. Kant disait que les monarchies sont davantage portées à faire la guerre que les républiques parce que, dans les premières, le souverain considère l'Etat comme sa propriété. Naturellement, le régime démocratique en soi ne constitue pas une garantie de paix, comme le prouvent, entre autres, l'Athènes de Périclès ou la France révolutionnaire. Comme les autres systèmes politiques, la démocratie peut subir l'influence néfaste des nationalismes et des autres idéologies violentes. Cependant, en cette matière comme en tant d'autres, la supériorité de la démocratie est à mes yeux irréfutable : la guerre et la paix sont des sujets sur lesquels nous n'avons pas seulement le droit, mais le devoir, d'exprimer notre opinion.

J'ai mentionné l'influence négative que les idéologies nationalistes, intolérantes et exclusivistes peuvent exercer sur la paix. Leur malignité, au sens premier du terme, s'accroît encore lorsqu'elles ne représentent plus seulement la croyance d'une secte ou d'un parti, mais qu'elles deviennent la doctrine d'une Eglise ou d'un Etat. L'aspiration vers l'absolu — toujours inatteignable — est une passion sublime, mais le fait de nous croire maîtres de la vérité absolue nous dégrade : nous voyons dans chaque être qui pense d'une autre façon un monstre en même temps qu'une menace ; de cette manière, nous devenons nous-mêmes des monstres et une menace pour nos semblables. Si notre croyance se mue en dogme d'une Eglise ou d'un Etat, les étrangers à notre cause se transforment en exceptions abominables : ils sont *les autres*, les hétérodoxes, ceux qu'il faut convertir ou exterminer. Enfin, s'il y a fusion entre l'Eglise et l'Etat, comme ce fut le cas à d'autres époques, ou si un Etat se proclame lui-même propriétaire de la science et de l'histoire, comme aujourd'hui, on voit immédiatement surgir les notions de croisade, de guerre sainte et leurs équivalents modernes, comme la guerre révolutionnaire. Les Etats idéologiques sont guerriers par nature. Et ils le sont pour deux raisons : par l'intolérance de leurs doctrines et par la discipline militaire de leurs élites et de leurs groupes dirigeants. Mariage contre nature du couvent et de la caserne.

Le prosélytisme, presque toujours lié à la conquête militaire, a caractérisé les Etats idéologiques depuis l'Antiquité jusqu'à nos jours. Au lendemain de la Seconde Guerre, par des moyens à la fois politiques et militaires, les peuples de ce qu'on appelle (improprement) l'Europe de l'Est ont été incorporés au système totalitaire. Les nations de l'Occident semblaient vouées au même destin. Il n'en fut pas ainsi car elles ont résisté. Mais parallèlement, elles se sont immobilisées : leur prospérité matérielle sans précédent n'a été suivie ni d'une renaissance morale et culturelle ni d'une action politique à la fois énergique et imaginative, généreuse et efficace. Il faut bien le dire : les grandes nations démocratiques occidentales ont cessé d'être un modèle et d'inspirer les élites et les minorités des autres peuples. Cette perte a été énorme pour tout le monde et, particulièrement, pour les nations d'Amérique latine : rien, à l'horizon historique de cette fin de siècle, n'a pu remplacer l'influence féconde que la culture européenne, depuis le XVIIIᵉ siècle, a exercé sur la pensée, la sensibilité et l'imagination de nos meilleurs écrivains, artistes et réformateurs sociaux et politiques.

Symptôme inquiétant, l'immobilité se fait angoissante quand on constate qu'elle n'est que le résultat de l'équilibre nucléaire. La paix n'est pas le reflet de l'accord entre les puissances, mais de leur crainte mutuelle. Les pays de l'Est et de l'Ouest semblent condamnés à l'immobilité ou à l'anéantissement. Jusqu'ici, la terreur nous a préservés du grand désastre. Mais si nous avons échappé à Harmagedôn[1], nous n'avons pas supprimé la guerre : depuis 1945, il ne s'est pas passé un seul jour sans que n'éclatent des conflits en Asie comme en Afrique, en Amérique latine comme au Proche et au Moyen-Orient. La guerre est devenue transhumante. Bien que mon propos ne soit pas de m'occuper ici de ces conflits, je me dois de faire une exception et de vous

---

1. Dans la Bible, cette montagne est un symbole de désastre pour les armées qui s'y rassemblent. Voir Apocalypse, XVI, 16. *(N.d.T.)*

entretenir du cas de l'Amérique centrale. Ce cas me touche de très près et me fait mal ; en outre, il est urgent de dissiper les simplifications répétées par les Troyens et les Tyriens. La première est la tendance à ne voir dans ce problème qu'un épisode de la rivalité entre les deux superpuissances ; la seconde est de le réduire à un affrontement local sans ramifications internationales. Il est clair que les Etats-Unis soutiennent des groupes armés qui s'opposent au régime de Managua ; il est également certain que l'Union soviétique et Cuba envoient des conseillers militaires et des armes aux sandinistes ; enfin, il est évident que les racines du conflit s'enfoncent profondément dans le passé de l'Amérique centrale.

L'indépendance de l'Amérique hispanique (le cas du Brésil est différent) a entraîné la fragmentation de l'ancien Empire espagnol. Il s'agit d'un phénomène dont la signification est très différente de celle de l'indépendance nord-américaine. Nous payons encore les conséquences de cette dispersion : faiblesse à l'extérieur et, à l'intérieur, succession de démocraties chaotiques et de dictatures. Ces maux se sont envenimés en Amérique centrale : un groupe de petits pays sans identité nationale bien précise (comment distinguer un Salvadorien d'un Nicaraguayen ou d'un natif du Honduras ?), sans grande viabilité économique et exposés aux ambitions étrangères. Bien que les cinq pays — Panama a été inventé plus tard — aient choisi le régime républicain, nul d'entre eux, excepté le cas exemplaire du Costa Rica, n'est parvenu à établir une démocratie authentique et durable. Très tôt, les peuples d'Amérique centrale ont souffert du mal endémique de nos régions : le caudillisme militaire. L'influence des Etats-Unis a commencé au milieu du siècle dernier et s'est bientôt transformée en hégémonie. Si les Etats-Unis n'ont pas créé la fragmentation ni inventé les oligarchies locales et les dictateurs bouffons et sanguinaires, il est vrai qu'ils ont profité de la situation, fortifié les tyrannies et contribué de façon décisive à la corruption de la vie politique en Amérique centrale. Leur responsabilité historique est indéniable et leurs difficultés actuelles dans la région sont le fruit de leur politique.

A l'ombre de Washington, une dictature héréditaire est née et a grandi au Nicaragua. Longtemps plus tard, la conjonction de circonstances variées — l'exaspération générale, l'apparition d'une nouvelle classe moyenne éclairée, l'influence d'une Eglise catholique rénovée, les dissensions internes de l'oligarchie et, finalement, le retrait de l'aide nord-américaine — tout cela a culminé dans un soulèvement populaire. L'insurrection fut générale et renversa la dictature. Peu après ce triomphe, on a vu se répéter le cas de Cuba : la révolution a été confisquée par une élite de leaders révolutionnaires. Ils proviennent presque tous de l'oligarchie locale et la majorité d'entre eux est passée du catholicisme au marxisme-léninisme ou a concocté une curieuse mixture des deux doctrines. Dès le début, les dirigeants sandinistes ont cherché leur inspiration à Cuba et ont reçu une aide militaire et technique de l'Union soviétique et de ses alliés. Les actes du régime sandiniste manifestent sa volonté d'installer au Nicaragua une dictature bureaucratico-militaire sur le modèle de La Havane. Voilà comment s'est dénaturé le sens originel du mouvement révolutionnaire.

L'opposition est loin d'être homogène. A l'intérieur du pays, elle vient de nombreux côtés, mais elle n'a pas de moyens pour s'exprimer (il n'existe qu'un seul journal indépendant au Nicaragua : *La Prensa*). Un autre secteur important de l'opposition vit dans des régions isolées et inhospitalières : la minorité indigène[1], qui ne parle pas espagnol, qui se voit menacée dans sa culture et ses formes de vie et qui a déjà subi des spoliations et

---

1. Il s'agit des Indiens Miskitos. Voir le numéro d'*Esprit* sur l'Amérique latine (n° 10, octobre 1983). *(N.d.T.)*

des abus de pouvoir sous le régime sandiniste. L'opposition armée n'est guère plus homogène : les uns sont conservateurs (notamment d'anciens partisans de Somoza), d'autres sont des dissidents démocrates du sandinisme et d'autres encore font partie de la minorité indigène. Aucun de ces groupes ne souhaite la restauration de la dictature. Le gouvernement des Etats-Unis leur procure une aide militaire et technique, mais tout le monde sait que cette aide est de plus en plus critiquée au Sénat et dans de nombreux cercles de l'opinion publique nord-américaine.

Je dois enfin mentionner l'action diplomatique des quatre pays qui forment le groupe appelé *Contadora* : le Mexique, le Venezuela, la Colombie et Panama. Il est le seul groupe à proposer une politique rationnelle et orientée vraiment vers la paix. Les efforts des quatre pays visent à créer les conditions pour mettre fin aux interventions étrangères et pour que les combattants déposent les armes et entament des négociations. C'est le premier pas : le plus difficile. Mais il est indispensable : l'autre solution — la victoire militaire d'une partie ou de l'autre — ne serait que la semence explosive d'un nouveau conflit, encore plus terrible. Je dois signaler, en tout dernier lieu, que la pacification de la région ne pourra réellement s'effectuer qu'à partir du moment où le peuple nicaraguayen pourra exprimer son opinion à travers des élections vraiment libres et où tous les partis puissent entrer en lice. Ces élections permettraient la constitution d'un gouvernement national. Bien entendu, si elles sont essentielles, les élections ne suffisent pas. Même si, de nos jours, la légitimité des gouvernements se fonde sur le suffrage universel, libre et secret, d'autres conditions doivent être remplies pour qu'un régime mérite d'être appelé démocratique : pluralisme, défense des libertés et des droits individuels et collectifs, respect des personnes et des minorités. Ce dernier point est vital dans un pays comme le Nicaragua, qui a souffert de longues périodes de despotisme et au sein duquel coexistent différentes minorités raciales, religieuses, culturelles et linguistiques.

Beaucoup jugeront ce programme irréalisable. Il ne l'est pas : le Salvador, en pleine guerre civile, a célébré des élections. Malgré les méthodes terroristes des guérilleros, qui prétendaient intimider le public afin qu'il ne participe pas au scrutin, l'immense majorité de la population a voté pacifiquement. C'était la seconde fois que le Salvador votait (la première campagne avait eu lieu en 1982) et, chaque fois, le grand nombre de suffrages exprimés a été un exemple admirable de la vocation démocratique de ce peuple et de son courage civique. Les élections du Salvador ont représenté une condamnation de la double violence qui afflige les nations de cette région : celle des bandes d'extrême droite et celle des guérilleros d'extrême gauche. Il n'est plus possible de prétendre que ce pays n'est pas prêt pour la démocratie. Si la liberté politique n'est pas un luxe pour les Salvadoriens, mais une question vitale, pourquoi ne devrait-elle pas l'être pour le peuple du Nicaragua ? Les écrivains qui publient des manifestes en faveur du régime sandiniste se sont-ils posé cette question ? Pourquoi approuvent-ils l'implantation d'un système au Nicaragua qui leur paraîtrait intolérable dans leur propre pays ? Comment donc ce qui serait odieux ici peut-il sembler admirable là-bas ?

Cette digression sur l'Amérique centrale — peut-être trop longue : je vous en demande pardon — confirme que la défense de la paix est liée à la sauvegarde de la démocratie. Je précise à nouveau que je ne vois pas de relation de cause à effet entre la démocratie et la paix ; plus d'une fois, les démocraties se sont montrées belliqueuses. Mais je crois que le régime démocratique réserve un espace ouvert, favorable à la discussion des sujets politiques et, par conséquent, celui de la guerre et de la paix. Les grands mouvements non violents du passé immédiat — les exemples les plus importants sont ceux de Gandhi et de Martin Luther King — sont nés et se sont développés au sein de sociétés démocratiques. Les manifestations pacifistes en Europe occidentale et aux Etats-Unis seraient à la fois impensables et impossibles dans les pays totalitaires. C'est pourquoi vouloir dissocier la paix de la démocratie serait une erreur logique et politique en même temps qu'une faute d'ordre moral.

Toutes ces réflexions peuvent se résumer comme suit : dans son expression la plus simple et essentielle, la démocratie est dialogue et le dialogue ouvre les portes de la paix. C'est seulement en défendant la démocratie que nous serons en mesure de sauvegarder la paix. De ce principe, à mon sens, il en dérive trois autres. Le premier consiste à chercher sans cesse le dialogue avec l'adversaire. Ce dialogue exige, simultanément, de la fermeté et de la souplesse, de la flexibilité et de la solidité. Le deuxième principe est de ne céder ni à la tentation du nihilisme ni à l'intimidation de la terreur. La liberté ne vient pas plus avant qu'après la paix : elle en est indissociable. Les séparer, c'est céder au chantage totalitaire et, finalement, les perdre l'une et l'autre. Le troisième principe est de reconnaître que la défense de la démocratie dans notre propre pays est inséparable de la solidarité avec ceux qui luttent pour elle dans les pays totalitaires ou sous la botte des tyrannies et des dictatures militaires en Amérique latine et sur d'autres continents. En luttant pour la démocratie, les dissidents luttent pour la paix — c'est-à-dire pour nous tous.

Sur un des brouillons d'un hymne écrit par Hölderlin — justement consacré à la célébration de la paix et sur lequel Heidegger a écrit un célèbre commentaire, le poète déclare que nous, les hommes, nous avons appris à nommer le divin et les pouvoirs secrets de l'univers

depuis que nous sommes un dialogue
et que nous pouvons nous écouter les uns et les autres.

Hölderlin voit l'histoire comme un dialogue. Pourtant, ce dialogue a chaque fois été interrompu par le bruit de la violence ou par le monologue des chefs. La violence exacerbe les différences et nous empêche de parler et d'écouter. Le monologue est une négation de l'autre ; le dialogue maintient, bien sûr, les différences, mais il ménage une zone où les altérités coexistent et s'entretissent. Le dialogue exclut l'ultimatum et il renonce ainsi aux absolus et à leurs prétentions despotiques totalitaires : nous sommes relatifs, comme est relatif ce que nous disons et entendons. Mais ce relativisme n'est pas une démission : pour que s'effectue le dialogue, nous devons affirmer ce que nous sommes et, tout à la fois, reconnaître l'autre dans sa différence irréductible. Le dialogue nous interdit de nous nier et de nier l'humanité de notre adversaire. Marc Aurèle a passé une grande partie de sa vie à cheval, en guerroyant contre les ennemis de Rome. Il a connu la lutte, mais non la haine, et il nous a laissé ces mots que nous devrions souvent méditer : « Dès l'aurore, dis-toi par avance : "Je rencontrerai un indiscret, un ingrat, un insolent, un fourbe, un envieux, un insociable. [...] la nature du coupable lui-même est d'être mon parent, non par la communauté du sang ou d'une même semence, mais par celle de l'intelligence et d'une même parcelle de la divinité, [...] nous sommes nés pour coopérer, comme les pieds, les mains, les paupières, les deux rangées de dents, celle d'en haut et celle d'en bas"[1]. » Le dialogue n'est qu'une des formes, peut-être la plus élevée, de la sympathie cosmique.

1. Je reprends la traduction de Mario Meunier ; cf. Marc Aurèle, *Pensées pour moi-même* (livre II, 1), Paris, Garnier-Flammarion, 1964. (N.d.T.)

DU MÊME AUTEUR

Aux Éditions Gallimard

PIERRE DE SOLEIL, *poésie.*

L'ARC ET LA LYRE, *essai.*

LIBERTÉ SUR PAROLE (édition bilingue), *poésie.*

DEUX TRANSPARENTS : MARCEL DUCHAMP ET
    LÉVI-STRAUSS, *essai.*

VERSANT EST (édition bilingue), *poésie.*

CONJONCTIONS ET DISJONCTIONS, *essai.*

COURANT ALTERNATIF, *réflexions.*

LE LABYRINTHE DE LA SOLITUDE, *essai.*

POINT DE CONVERGENCE, *essai.*

MARCEL DUCHAMP : L'APPARENCE MISE À NU, *essai.*

MISE AU NET (édition bilingue), *poésie.*

D'UN MOT À L'AUTRE (édition bilingue), *poésie.*

RIRE ET PÉNITENCE, *essai.*

LA FLEUR SAXIFRAGE, *essai.*

En collaboration avec Roubaud, Sanguineti et Tomlinson :
RENGA, *poème.*

Chez d'autres éditeurs

ANTHOLOGIE DE LA POÉSIE MEXICAINE (Nagel).

LA FILLE DE RAPPACCINI (Mercure de France).

LE SINGE GRAMMAIRIEN (Skira).

Impression Brodard et Taupin
à La Flèche (Sarthe),
le 4 avril 1985.
Dépôt légal : avril 1985.
Numéro d'imprimeur : 1593-5.
ISBN : 2-07-032311-0 / Imprimé en France